Past and Future Heritage
in the Pipelines Corridor
Azerbaijan Georgia Turkey

კულტურული მემკვიდრეობის
ძეგლები მილსადენების დერეფანში,
წარსული და მომავალი
აზერბაიჯანი, საქართველო, თურქეთი

Past and Future Heritage in the Pipelines Corridor

Azerbaijan Georgia Turkey

კულტურული მემკვიდრეობის ძეგლები მილსადენების დერეფანში, წარსული და მომავალი

აზერბაიჯანი, საქართველო, თურქეთი

Paul Michael Taylor
Christopher R. Polglase
Najaf Museyibli
Jared M. Koller
Troy A. Johnson

პოლ მაიკლ ტეილორი
ქრისტოფერ რ. ფოლგლეისი
ნაჯაფ მუსეიბლი
ჯარედ მ. ქოლერი
თროი ა. ჯონსონი

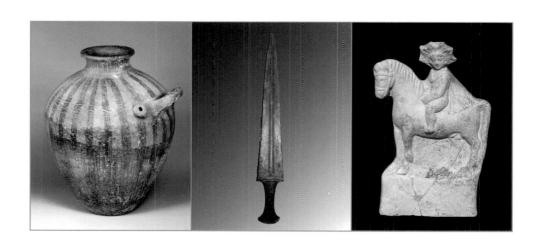

New discoveries from excavations by the Institute of Archaeology and Ethnography (Baku, Azerbaijan), the Georgian National Museum (Tbilisi, Georgia), and Gazi University (Ankara, Turkey)

არქეოლოგიის ინსტიტუტის (ბაქო, აზერბაიჯანი), საქართველოს ეროვნული მუზეუმისა (თბილისი, საქართველო) და გაზის უნივერსიტეტის (ანკარა, თურქეთი) ახალი არქეოლოგიური აღმოჩენები

Asian Cultural History Program
Smithsonian Institution

აზიის კულტურის ისტორიის პროგრამა
სმითსონის ინსტიტუტი (ვაშინგტონი, აშშ)

This publication is the first product of grant number G-08-BPCS-151448 from BP Exploration Caspian Sea Ltd to the Smithsonian Institution, entitled "Provision of the Cultural Heritage Public Outreach and Capacity Building Programme in the AGT Pipeline Corridor Regions."

An online publication on this topic with the title "AGT: Ancient Heritage in the BTC-SCP Pipelines Corridor, Azerbaijan - Georgia - Turkey" accompanies this book and may be found at http://www.agt.si.edu. Visitors to this website will find archaeological site reports and a more extensive bibliography.

Design by KI Graphics, Inc.
This book is simultaneously issued in two bilingual editions: English-Azerbaijani and English-Georgian.
ISBN: English-Azerbaijani: 9780972455749 (softcover); 9780972455763 (hardcover), English-Georgian: 9780972455756 (softcover); 9780972455770 (hardcover).

Second printing (April 2011)

ეს პუბლიკაცია BP Exploration Caspian Sea Ltd- ის მიერ სმითსონის ინსტიტუტისათვის გაცემული გრანტის (G-08-BPCS-151448) - "საზოგადოებისათვის კულტურული მემკვიდრეობის გაცნობა და აზერბაიჯანი – საქართველო – თურქეთი მილსადენების დერეფნის რეგიონში "შესაძლებლობათა განვითარების" პროგრამის პირველი პროდუქტია.

ამ თემასვე შეეხება ელექტრონული პუბლიკაცია, რომლის სათაურია: "აზერბაიჯანი, საქართველო, თურქეთი - კულტურული მემკვიდრეობა BTC/SCP-ის დერეფანში ". იგი წიგნთან ერთად გამოქვეყნდება და მისი ნახვა შესაძლებელი იქნება საიტზე: http://www.achp.si.edu/agt. საიტის მეშვეობით შესაძლებელი იქნება არქეოლოგიური ძეგლების გათხრების ანგარიშებისა და სრული ბიბლიოგრაფიის გაცნობა.

საავტორო უფლება © 2011, სმითსონის ინსტიტუტის აზიის კულტურის ისტორიის პროგრამა

ეს წიგნი ერთდროულად ინგლისურ – აზერბაიჯანულ და ინგლისურ - ქართულ, ორენოვან გამოცემად გამოდის. ISBN: ინგლისურ – აზერბაიჯანული: 9780972455749 (რბილი ყდა); 9780972455763 (მაგარი გარეკანი), ინგლისურ - ქართული: 9780972455756 (რბილი ყდა); 9780972455770 (მაგარი გარეკანი).

Cataloging-in-Publication Data (U.S.A.)
Past and future heritage in the pipelines corridor : Azerbaijan, Georgia, Turkey = Kulturuli emkvidreobis żeglebi milsadenebis derep'anši, carsuli da momavali : Azerbaijani, Sak'art'velo, T'urk'et'i / Paul Michael Taylor … [et al.].
p. cm.
English and Georgian.
Includes bibliographical references.
ISBN-13: 978-09724557-5-6 (softcover); 978-09724557-7-0 (hardcover)
1. Excavations (Archaeology)—Azerbaijan. 2. Excavations (Archaeology)—Georgia (Republic). 3. Excavations (Archaeology) —Turkey, Eastern. 4. Azerbaijan—Antiquities. 5. Georgia (Republic)—Antiquities. 6. Turkey, Eastern—Antiquities. 7. Silk road— Antiquities. 8. Petroleum pipelines—Caucasus, South. 9. Petroleum pipelines—Turkey, Eastern. I. Taylor, Paul Michael, 1953- II. National Museum of Natural History (U.S.). Asian Cultural History Program.
DS56.P372 2010

Table of Contents

სარჩევი

Rock art displaying two human figures interlocking hands at the Gobustan National Historical-Artistic Preserve.

გობუსთანის ისტორიულ-არქეოლოგიურ ნაკრძალში, კლდეზე გამოსახულია ორი ადამიანი, რომელთაც ხელები ერთმანეთისკენ აქვთ გაწვდილი.

A view of excavation activities along the Baku-Tbilisi-Ceyhan (BTC) pipeline in Georgia.

საქართველო, ბაქო-თბილისი-ჯეიჰანის ნავთობსადენის (BTC) მახლობლად მიმდინარე არქეოლოგიური გათხრების ხედი

The Sultanahmet Mosque (also known as the Blue Mosque) in Istanbul was commissioned by Sultan Ahmet I and completed during the early 17th century AD.

სულთან აჰმედის მეჩეთის (ცნობილია, როგორც ლურჯი მეჩეთი) მშენებლობა სტამბულში სულთან აჰმედ I-ის მმართველობის დროს დაიწყო და XVII საუკუნეში დამთავრდა.

An artisan crafting beautiful traditional metal wares in Azerbaijan.

აზერბაიჯანელი ხელოსანი ამზადებს ლითონის ტრადიციულ ნივთებს.

An Azerbaijani woman baking flatbread (chorek) in a wood-fired tandir.

აზერბაიჯანელი ქალი აცხობს პურს თონეში.

The famous defensive walls and Maiden's Towe˘ of Ichari Shahar (Baku's "inner city") were constructed in the 12th century AD.

ძველი ბაქოს დამცავი გალავანი და სახელგანთქმული „ქალწულის კოშკი" XII საუკუნეშია აგებული.

Tbilisi, a city of roughly one and a half million people, is the capital and largest city of Georgia, gracing the banks of the Mtkyvari (Kura) River in the eastern part of the country.

თბილისი, დაახლოებით მილიონნახევრიანი ქალაქი, საქართველოს დედაქალაქია და მდებარეობს ქვეყნის აღმოსავლეთ ნაწილში, მდ. მტკვრის ნაპირებზე.

Magnificently spanning the Bosporus Strait, the First Bosporus Bridge in Istanbul connects Orakoy (in Europe) and Beylerbeyi (in Asia). Completed in 1973, the bridge embodies Turkey's historic role linking Europe and Asia.

ბოსფორის სრუტეზე გადჭიმული პირველი ხიდი, რომელიც სტამბულის ორ ნაწილს –ევროპულსა (ორაქოი) და აზიურს (ბეილერბეი) აერთებს, 1973 წელს აშენდა და თურქეთის - ევროპისა და აზიის დამაკავშირებელი სახელმწიფოს ისტორიულ როლს უსვამს ხაზს.

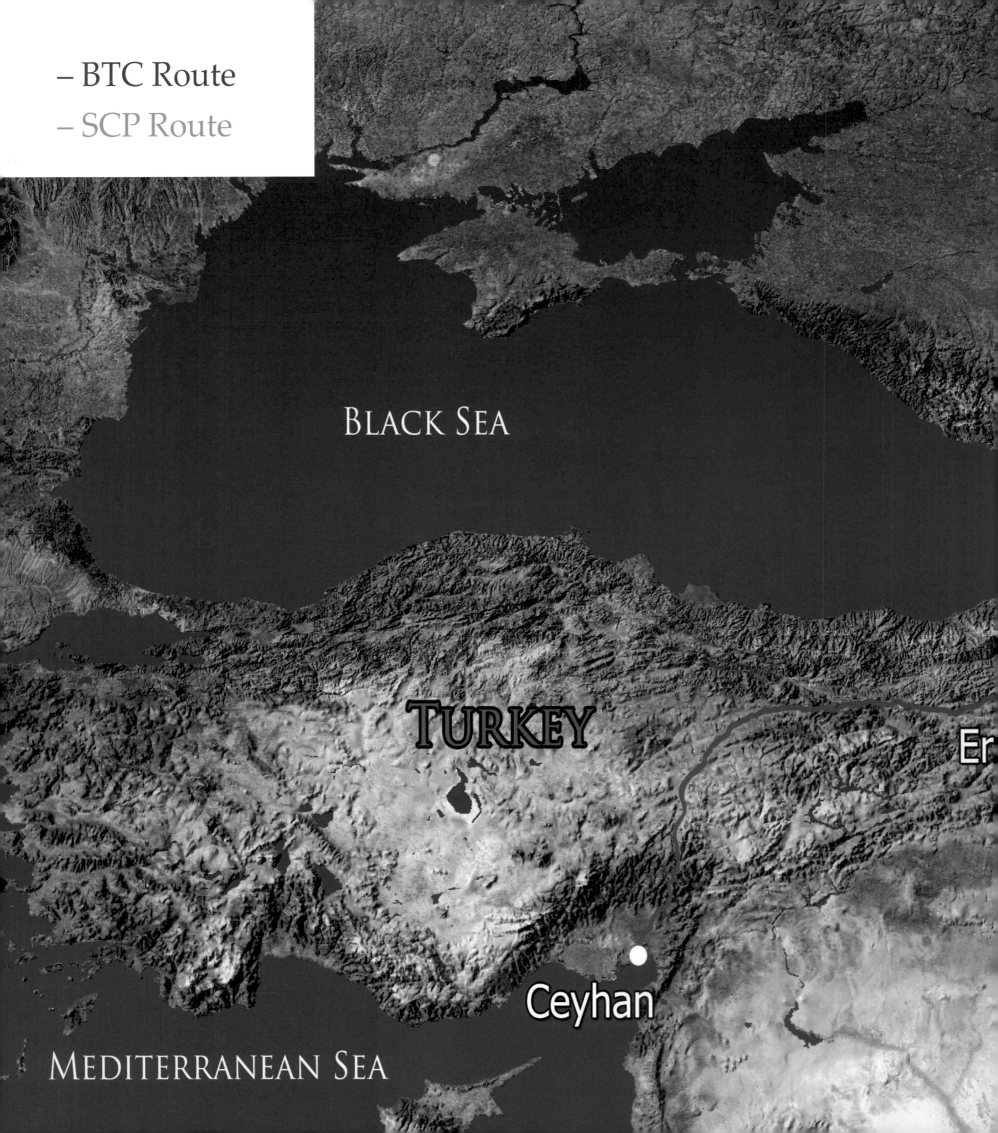

Black Sea
Turkey
Er
Ceyhan
Mediterranean Sea

A map of the Baku-Tbilisi-Ceyhan (BTC) and South Caucasus (SCP) pipelines, from the Caspian to the Mediterranean.

ბაქო-თბილისი-ჯეიჰანისა (BTC) და სამხრეთ კავკასიის მილსადენების (SCP) რუკა კასპიიდან ხმელთაშუაზღვისპირეთამდე.

CASPIAN SEA

GEORGIA

Tbilisi

Baku

AZERBAIJAN

rum

The Azerbaijan Government House is an imposing
structure. After formally declaring independence
from the Soviet Union in 1991, Azerbaijan's first
elected Parliament officially adopted a constitution
in 1995.

აზერბაიჯანის მთავრობის სასახლე დიდი
შენობაა. 1991 წელს აქ გამოცხადდა
აზერბაიჯანის დამოუკიდებლობა, პირველმა
პარლამენტმა კი ქვეყნის კონსტიტუცია 1995
წელს მიიღო.

To highlight the rich cultural heritage of the region, this book presents findings of a collaborative research initiative among archaeologists in Azerbaijan, Georgia, and Turkey and their colleagues from the Smithsonian Institution's Asian Cultural History Program, Office of Policy and Analysis, and Office of the Chief Information Officer. The recovery, collection management, and interpretation of the archaeological data presented here were financed by BP and its coventurers in the Caspian projects as part of their efforts to protect the cultural resources uncovered during the construction of the Baku-Tbilisi-Ceyhan (BTC) crude oil and adjacent South Caucasus (SCP) natural gas pipelines. The archaeological surveys of the pipeline route began in 2000, before construction commenced. The construction, which began in 2003, was accompanied by teams of Azerbaijani, Georgian, Turkish, British, and American archaeologists who traveled the entire length of the pipelines, a journey that contributed to the story of known archaeological sites in addition to discovering hundreds of previously unknown and unexcavated sites.

წარმოდგენილ წიგნში თავმოყრილი მასალა წარმოაჩენს რეგიონის მდიდარ კულტურულ მემკვიდრეობას, რომელიც ქართველმა, აზერბაიჯანელმა და თურქმა არქეოლოგებმა აღმოჩენეს. აქვე ასევე შესაძლებელია გავეცნოთ ამ ქვეყნების წარმომადგენლების თანამშრომლობა სმითსონის ინსტიტუტის აზიის კულტურის ისტორიის განყოფილებასთან, პოლიტიკისა და ანალიზის განყოფილებასა და მთავარ საინფორმაციო სამსახურთან. რესტავრაცია, კოლექციების მართვა და მოპოვებული არქეოლოგიური მასალის ინტერპრეტაცია BP-ისა და მისი პარტნიორების მიერ დაფინანსდა, რათა ბაქო-თბილისი-ჯეიჰანის ნავთობსადენისა და სამხრეთ კავკასიის გაზსადენის მშენებლობისას აღმოჩენილი კულტურული მემკვიდრეობის ნაშთები კარგად ყოფილიყო დაცული. მილსადენის მარშრუტის შესწავლა 2000 წელს დაიწყო, სამშენებლო სამუშაოები კი - 2003 წელს. ამ პროცესში თავიდანვე იყვნენ ჩაბმულები აზერბაიჯანელი, ქართველი, თურქი, ბრიტანელი და ამერიკელი არქეოლოგები. ისინი მშენებლობის პარალელურად მუშაობდნენ და მათ მილსადენების გასწვრივ გათხარეს არამარტო უკვე ცნობილი ძეგლები, არამედ აქამდე უცნობი ასობით არქეოლოგიური ძეგლი აღმოაჩინეს და შეისწავლეს.

The Ateshgah "Fire Worshipers" Temple near Baku has its origins among Zoroastrians. A continuous flame on the site was once fed by natural gas deposits.

ცეცხლთაყვანისმცემლების ტაძარი ათეშგა, რომელიც ბაქოს მახლობლადაა, ზოროასტრიზმის მიმდევართა სალოცავი იყო. "მარადიული ცეცხლი", რომელიც ამ სალოცავზე იყო დანთებული, გაზის საბადოდან იკვებებოდა.

The tomb sanctuary of King Antiochus I at Mount Nemrud was built on a mountaintop in what is now southeastern Turkey in 62 BC. Antiochus I forged an alliance with Rome during the war between Rome and the Parthians.

სამხრეთ-აღმოსავლეთ თურქეთში, მთა ნემრუდზე, ძვ.წ. 62 წელს აღმართეს კომაგენეს მეფე ანტიოქოს I-ის სამლოცველო. რომაელებმა იგი აიძულეს მათი მოკავშირე გამხდარიყო და პართიელების წინააღმდეგ ებრძოლა.

The salamuri, a Georgian reed instrument made of apricot wood, is often played at festivals by boys wearing traditional costumes.

საქართველოში გამართულ სახალხო დღესასწაულებზე ხშირად ნახავთ ეროვნულ სამოსში გამოწყობილ ყმაწვილებს, რომლებიც სალამურზე უკრავენ.

A baker in Georgia uses a modern-day tandir-shaped oven to bake bread. The dough is pressed against the walls of the oven to bake.

საქათველოში პურის გამოსაცხობად დღევანდელი ხაბაზები თონეს იყენებენ. ცომი თონეს კედელს ეკვრება და იხე ცხვება.

The Smithsonian team continues its international collaborative research efforts in this area. Partners in the region include Azerbaijan's Institute of Archaeology and Ethnography, Gobustan National Historical-Artistic Preserve and the Georgian National Museum. The Gobustan Preserve, located about 40 miles southwest of Azerbaijan's capital city of Baku, was declared a UNESCO World Heritage Site in 2007.

This book and its associated website (www.agt.si.edu) are examples of the public education and museum capacity-building efforts associated with this project. BP's support parallels its commitment to increasing awareness of biodiversity and protecting natural habitats, including initiatives that have mobilized tangible environmental changes throughout the region.

სმითსონის ინსტიტუტის გუნდი, რომელიც მოიცავს აზიის კულტურის ისტორიის პროგრამას, პოლიტიკისა და ანალიზისა და მთავარ საინფორმაციო სამსახურებს, აგრძელებს რეგიონის კვლევას და თანამშრომლობს გობუსთანის არქეოლოგიურ ნაკრძალთან, აზერბაიჯანის არქეოლოგიისა და ეთნოგრაფიის ინსტიტუტსა და საქართველოს ეროვნულ მუზეუმთან. გობუსთანის ნაკრძალი, რომელიც ბაქოდან სამოციოდე კილომეტრითაა დაშორებული, 2007 წლიდან იუნესკოს მიერ მსოფლიო კულტურული მემკვიდრეობის ძეგლადაა გამოცხადებული.

ეს წიგნი და მასთან დაკავშირებული ვებსაიტი (www.agt.si.edu) სამშენებლო პროექტის მიმდინარეობისას განხორციელებული საზოგადოებრივი განათლებისა და სამუზეუმო შესაძლებლობათა განვითარების სამუშაოების კარგი მაგალითია. და მისი პარტნიორები ხელს უწყობენ ბიომრავალფეროვნებისა და გარემოს დაცვის თვითშეგნების ამაღლების მიზნით ნაკისრი ვალდებულებების განხორციელებას, მათ შორის რეგიონში ბუნებრივ გარემოზე მნიშვნელოვანი ზემოქმედების შერბილების ინიციატივებს.

Rock art panels at the Gobustan National Historical-Artistic Preserve date from as early as the Paleolithic period.

გობუსთანის ეროვნულ ისტორიულ-არქეოლოგიურ ნაკრძალში დაცული კლდის მხატვრობა პალეოლითის ხანით თარიღდება.

Petroglyphs of a hunter and a possible shaman are a part of the legacy of the early past discovered at the Gobustan National Historical-Artistic Preserve.

გობუსთანის ეროვნულ ისტორიულ-არქეოლოგიურ ნაკრძალში დაცული პეტროგლიფები, რომლებზეც მონადირე და შამანია გამოსახული, კულტურული მემკვიდრეობის ნაწილია.

Rock art panels at the Gobustan National Historical-Artistic Preserve often contain a variety of elegant figures, sometimes superimposed over each other.

გობუსთანის ეროვნულ ისტორიულ-არქეოლოგიურ ნაკრძალში დაცულ კლდის მხატვრობაზე არაერთი ფიგურაა გამოსახული. ზოგიერთი ნახატი სხვადასხვა დროსაა შექმნილი და ერთმანეთზეა დადებული.

During Stages 1 and 2 of the project from 2000 to 2003, potentially important archaeological sites were identified through field walks and aerial photography. This view from the Tsalka district in central Georgia shows the type of surface clearing that preceded excavations.

პირველი და მეორე ეტაპის განმავლობაში, 2000-2003 წლებში დაზვერვითი სამუშაოებისა და აეროფოტოგრაფირების საშუალებით გამოვლინდა პოტენციური არქეოლოგიური ძეგლები. ეს ფოტო წალკის რაიონში (სამხრეთი საქართველო) ნიადაგის აღების პროცესის შემდგომ მდგომარეობას ასახავს.

The Pipelines

The pipeline route—which runs through widely divergent climatic, geological, and geographic regions that have long been populated by numerous peoples—was not selected for its potential to facilitate archaeological excavations or spur the discovery of new cultural heritage in previously unexplored regions. Rather, it resulted from the practical considerations of bringing a vast new supply of crude oil and natural gas from the Caspian Sea to world markets in a way that both avoids the ecological risks posed by huge tankers passing through the Bosporus Strait and provides the newly independent post-Soviet states of the Caucasus control over the export of Azerbaijan's most valuable commodity. The pipelines construction has, nonetheless, given the region and the world a rare opportunity to increase our understanding of the past.

მილსადენები

მილსადენების მარშრუტი სხვადასხვა ხალხით დასახლებულსა და ერთმანეთისაგან მკვეთრად განსხვავებულ კლიმატურ, გეოგრაფიულსა და გეოლოგიურ და რეგიონებზე გადის. ეს მარშრუტი ადრე შეუსწავლელ რეგიონებში არქეოლოგიური გათხრების ან კულტურული მემკვიდრეობის ახალი ძეგლების აღმოჩენის ხელშეწყობის მიზნით არ შერჩეულა. მისი მიზანი იყო კასპიის ზღვის საბადოების ნედლი ნავთობისა და ბუნებრივი აირის მსოფლიო ბაზრებზე გატანა, რაც მაქსიმალურად შეამცირებდა როგორც ბოსფორის სრუტეში უზარმაზარი ტანკერების მოძრაობის შედეგად გამოწვეულ ეკოლოგიურ საფრთხეებს, ასევე გაზრდიდა კავკასიის პოსტსაბჭოთა სივრცეში ახლადშექმნილი დამოუკიდებელი სახელმწიფოების კონტროლს ზერბაიჯანის ამ უძვირფასესი ნედლეულის ექსპორტზე. ამავე დროს, მილსადენების მშენებლობამ რეგიონსა და მსოფლიოს წარსულის უკეთესად შესწავლის იშვიათი შესაძლებლობა მისცა.

The BTC pipeline starts at the Sangachal Terminal on the Caspian Sea in Azerbaijan, passes through the territory of Georgia, and ends at the Ceyhan Terminal on the Turkish coast of the Mediterranean, from which "Azeri light" crude oil of the Azeri-Chirag-Deep Water Guneshli field is delivered to international markets. The length of the BTC pipeline is 1,768 kilometers (1,099 miles): 443 kilometers (275 miles) in Azerbaijan, 249 kilometers (155 miles) in Georgia, and 1,076 kilometers (669 miles) in Turkey. Its diameter varies from 1.07 to 1.17 meters (42 to 46 inches), and it is currently transporting close to one million barrels of oil per day, with plans to increase capacity to handle additional volume.

The SCP transports natural gas from the Shah Deniz field on the Caspian Sea to Turkey. It follows the route of the BTC pipeline through Azerbaijan and Georgia into Turkey, where it connects with the Turkish gas distribution system. The total length of this pipeline is 691 kilometers (429 miles), divided between Azerbaijan and Georgia in the same proportions as the BTC pipeline, and measures 1.07 meters (42 inches) in diameter.

ბაქო-თბილისი-ჯეიჰანის მილსადენი (BTC), აზერბაიჯანში კასპიის ზღვის ტერმინალ სანგაჩალში იწყება, გაივლის საქართველოს ტერიტორიას და თურქეთის ხმელთაშუა ზღვის სანაპიროზე, ჯეიჰანის ტერმინალთან მთავრდება, საიდანაც ნედლი ნავთობი საერთაშორისო ბაზრებს მიეწოდება.
მილსადენის სიგრძე 1,768 კილომეტრია; აქედან 443 კმ აზერბაიჯანის ტერიტორიაზე გადის, 249 კმ საქართველოს ტერიტორიაზე და 1,076კმ კი–თურქეთისაზე. მილის დიამეტრი 1,07 მეტრიდან 1,17 მეტრამდე მერყეობს და ყოველდღე მასში თითქმის 1 მილიონი ბარელი ნავთობი გაედინება სამომავლოდ უფრო დიდი ოდენობით ნავთობის გატანაც იგეგმება.

სამხრეთკავკასიური მილსადენის (SCP) საშუალებით კასპიის ზღვის შაჰდენიზის საბადოდან ბუნებრივი აირი თურქეთში გააქვთ. საქართველოსა და აზერბაიჯანის ტერიტორიაზე იგი BTC–ის პარალელურად მიუყვება, ხოლო თურქეთში - თურქულ გაზგამანაწილებელ სისტემას უერთდება. ამ მილსადენის სიგრძე 691 კილომეტრია და BTC მილსადენის ანალოგიური პროპორციითაა გაყოფილი აზერბაიჯანსა და საქართველოს შორის. მისი დიამეტრიც 1,07 მეტრია.

In addition to initial archaeological surveys, the impacts that the pipeline project would have on local communities such as this village located on the Kodiana Pass in Georgia, were examined. Preventive measures were taken so as not to permanently disrupt the lives of villagers.

წინასწარული არქეოლოგიური დაზვერვების გარდა, შესწავლილ იქნა ის შესაძლო ზემოქმედებები, რაც მილსადენის პროექტს ადგილობრივ მოსახლეობაზე, მაგ., საქართველოში, კოდიანის უღელტეხილზე მდებარე ამ სოფელზე შეეძლო მოეხდინა. ამის აღსაკვეთად მიიღეს პრევენციული ზომები.

The AGT Pipelines Archaeology Program

The AGT (Azerbaijan, Georgia and Turkey) Pipelines Archaeology Program represents one of the most significant commitments to cultural heritage ever made by an international pipeline project. It was initiated as a result of the requirements of the international financial community that financed the pipelines, guidelines of the host countries, and BP's internal standards for environmental and cultural protection. The project will continue over the next several years through the implementation of archaeological and ecological projects in the three host countries.

მილსადენების არქეოლოგიური პროგრამა

საერთაშორისო ნავთობკორპორაციებმა AGT-ის მილსადენის არქეოლოგიური პროგრამის ფარგლებში კულტურული მემკვიდრეობის დაცვის თვალსაზრისით უმნიშვნელოვანესი ვალდებულებები აიღეს. ამ იდეის ინიციატორები ის საერთაშორისო ფინანსური ჯგუფები იყო, რომლებიც მშენებლობას აფინანსებდნენ და მასპინძელი ქვეყნებისა და BP-ისათვის ქმნიდნენ გარემოსდაცვით და კულტურული მემკვიდრეობის სტანდარტებს. პროექტი სამივე ქვეყანაში კიდევ რამდენიმე წელს გასტანს და მის ფარგლებში მუშაობა ეკოლოგიური და არქეოლოგიური მიმართულებითაც გაგრძელდება.

Excavation leader Dr. Goderdzi Narimanishvili and Cultural Heritage Monitor Nino Erkomaishvili discuss their strategy at the Saphar Kharaba site in Georgia.

ექსპედიციის ხელმძღვანელი გოდერძი ნარიმანიშვილი და კულტურული მემკვიდრეობის მონიტორი ნინო ერქომაიშვილი განიხილავენ საფარ ხარაბას სამაროვანზე ჩასატარებელი სამუშაოს.

In western Azerbaijan, a group of side booms travel along the pipeline corridor.

დასავლეთი ზერბაიჯანი. მძიმე ტექნიკა მილსადენების დედეფანში.

An archaeologist from Azerbaijan's Institute of Archaeology and Ethnography records one of the earliest kurgans (burial sites) in the region at an excavation site near the village of Soyuqbulaq.

აზერბაიჯანის არქეოლოგიისა და ეთნოგრაფიის ინსტიტუტის არქეოლოგი აფიქსირებს უძველეს ყორღანს სოფ. სოიუქბულაქთან.

Past and Future Heritage in the Pipelines Corridor

The pipeline construction activities.

მილსადენის მშენებლობა.

The inspiring Jvari Church sits atop a ridge overlooking Mtskheta, the ancient capital of Georgia; the remains of the timeworn town are dated earlier than 1000 BC.

ჯვრის მონასტერი, რომელიც მაღალ გორაზე დგას, საქართველოს ძველ დედაქალაქს, მცხეთას გადაჰყურებს.

The lavish Topkapi Palace complex in Istanbul,
Turkey, was the primary residence of Ottoman
sultans from 1465 until the mid-19th century.

1465 წლიდან XIX საუკუნის შუახანებამდე
თოფქაფის მდიდრული სასახლე
სტამბულში ოტომანი სულთნების
რეზიდენცია იყო.

CHAPTER 2

Cultural History at the Crossroads

The construction of the BTC and SCP pipelines reinvigorated the region's historic role as a crossroads of world trade. Archaeological work undertaken as a part of the AGT Pipelines Archaeology Program has contributed greatly to understanding the individual cultures and histories of the host nations, and has documented their long record of interconnectedness over the past four millennia. The recent rebuilding of social and economic relationships in the region is one reoccurrence in this long history of connections.[1]

თავი 2

კულტურის ისტორია გზაჯვარედინზე

ბაქო-თბილისი-ჯეიჰანისა და ბაქო-თბილისი-ერზერუმის მილსადენების მშენებლობამ რეგიონს მისი უძველესი, სავაჭრო გზაჯვარედინის ფუნქცია დაუბრუნა. არქეოლოგიურმა სამუშაოებმა, რომლებიც აზერბაიჯანი-საქართველო-თურქეთის მილსადენების არქეოლოგიური პროგრამის ფარგლებში განხორციელდა, მასპინძელი ქვეყნების კულტურისა და ისტორიის შესწავლის საქმეში მნიშვნელოვანი წვლილი შეიტანა, ამასთან კიდევ ერთხელ დაადასტურა, რომ ეს რეგიონი ბოლო ოთხი ათასწლეულის განმავლობაში დასავლეთისა და აღმოსავლეთის ურთიერთგადაკვეთისა და შერწყმის ადგილი იყო. რეგიონში სოციალური და კულტურული კავშირების ბოლოდროინდელი გამოცოცხლება კიდევ ერთხელ მიუთითებს ამ ისტორიულ კავშირებზე.

This chapter presents a brief narrative of each country's cultural history, with selected examples of how the findings from along the pipelines' route have increased knowledge of them. The pipelines corridor covers only a small percentage of the total land area of the three nations, and the findings from the excavations are only a part of the data from which understanding of the past derives. Nonetheless the results of the AGT Pipelines Archaeological Program have expanded what is known about almost every time period in the history of the countries. The following chapter discusses the archaeological sites within each of the countries.

ამ თავში მოკლედ არის გადმოცემული თითოეული ქვეყნის კულტურის ისტორია და შერჩეულ მაგალითებზე დაყრდნობით ნაჩვენები, თუ როგორ შეუწყო ხელი მშენებლობისას აღმოჩენილმა არქეოლოგიურმა მასალამ არსებული ცოდნის გაღრმავებას. მილსადენების დერეფანი სამი ქვეყნის ტერიტორიის მხოლოდ მცირე ნაწილზე გადის და გათხრების შედეგად მოპოვებული მასალაც, რა თქმა უნდა, მხოლოდ მცირედი ნაწილია იმ დიდი მასალისა, რომლებიც ჩვენ წარსულის კვლევაში გვეხმარება. მიუხედავად ამისა, აზერბაიჯანი-საქართველო-თურქეთის მილსადენების არქეოლოგიურმა პროგრამამ ხელი შეუწყო ამ ქვეყნების ისტორიული წარსულის თითქმის ყველა პერიოდის შესახებ დაგროვილი ცოდნის გაღრმავებას. შემდეგ თავში აღწერილია ამ პროგრამის დროს შესწავლილი არქეოლოგიური ძეგლები. [1]

This mosaic, created by the Azerbaijani artist Huseyn Hagverdi, depicts the unifying nature of the pipeline that links Azerbaijan, Georgia and Turkey, including the resultant economic and cultural benefits. Each country is represented by images of historical monuments located in their respective capitals. The mosaic is located at the Caspian Enegry Centre at the Sangachal oil and gas terminal, 55km from Baku.

აზერბაიჯანელი მხატვრის, ჰუსეინ ჰაგვერდის მიერ შექმნილი ეს მოზაიკა აზერბაიჯანის, საქართველოსა და თურქეთის კულტურისა და ეკონომიკის დამაკავშირებელი მილსადენის მნიშვნელობას ასახავს. თითოეული ქვეყანა წარმოდგენილია მათ დედაქალაქებში დაცული ისტორიული ძეგლებით. მოზაიკა ბაქოდან 55 კმ-ში, სანგაჩალის ტერმინალის ტერიტორიაზეა განთავსებული.

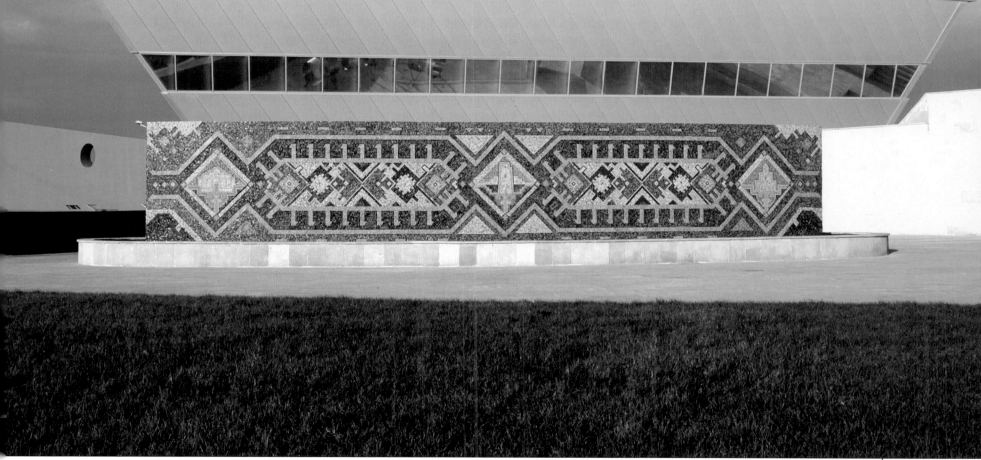

This petroglyth from the Gobustan National Historical-Artistic Preserve depicts several human figures, and possibly a representation of a boat.

ეს პეტროგლიფი გობუსთანის ხელოვნებისა და ისტორიის ეროვნული ნაკრძალიდან წარმოგვიდგენს რამდენიმე ადამიანისა და ნავის გამოსახულებას.

Archaeological excavations in the early 1980s at the old Leylatapa residential area in the Garadagh region of Azerbaijan revealed novel traces of the Eneolithic Period. It was later discovered that the architectural findings (ironware, infant graves in clay pots, earthenware prepared using potter's wheel and other features) significantly differ from the archaeological complexes of the same period in the South Caucasus. From these findings, a new archaeological culture (the Leylatapa) was discovered. Research indicates that this culture was genetically connected with the Ubeid and Uruk cultures, which were archaeological complexes in Northern Mesopotamia that date to the first half of the 4th millennium BC. It has been determined that the Leylatapa residential area was built by ancient tribes migrating from the Northern Mesopotamia to the South Caucasus during the Eneolithic Period.

In western Azerbaijan, a number of Leylatapa-related archaeological sites were uncovered within the BTC and SCP pipelines corridor, which created tremendous opportunities for critical scientific research concerned with archaeology in the Caucasus. Relevant sites include the Boyuk Kasik (438km), Poylu II (408.8km), Agılıdara (358km) settlement sites and the Soyuqbulaq burial mounds (432km). These monuments are critical for the investigation of ethnic, economic and cultural relationships within the Caucasus and Middle East, which has resulted in scientists from Europe, Russia and Georgia all showing immense interest in these sites. For example, a relationship between the North Caucasian Maykop sites and those of Mesopotamia was suspected by the scientific community for many years, however it wasn't until archaeological excavations were conducted at the above-mentioned sites that a link was confirmed.

აღმოჩნდა, რომ არქიტექტურული დეტალები, ლითონის წარმოება, ბავშვთა სამარხები და კერამიკული მორგვის გამოყენება ამ ძეგლს მნიშვნელოვნად განასხვავებდა სამხრეთ კავკასიის თანადროული ძეგლებისაგან. ამ აღმოჩენამ საფუძველი დაუდო ლეილათეფეს კულტურის შესწავლას. ლეილათეფეს კულტურა უკავშირდება ჩრდილო მესოპოტამიურ უბეიდისა და ურუქის კულტურებს, რომლებიც ძვ.წ. IV ათასწლეულის პირველი ნახევრით თარიღდება. ირკვევა, რომ ენეოლითის ხანაში, ლეილათეფეზე მესოპოტამიიდან სამხრეთ კავკასიაში წამოსული ტომები დასახლებულან.

დასავლეთ აზერბაიჯანში ენერგოდერეფნის მშენებლობისას ლეილათეფეს კულტურის არაერთი საინტერესო ძეგლი გამოავლინა, რამაც კავკასიის არქეოლოგიის საკითხების კრიტიკულად გააზრებას შეუწყო ხელი (ბუიუქ ქაშიქის, ფოილო II-სა და აგილიდარას ნამოსახლარები, სოიუქბულაქის სამარხები). მათი მონაცემები ახალ მასალას გვაწვდის კავკასიისა და ახლო აღმოსავლეთის ეთნიკური, ეკონომიკური და კულტურული ურთიერთობების შესახებ და ევროპელი, რუსი და ქართველი სპეციალისტების დაინტერესებას იწვევს. მაიკოპის კულტურისა და მესოპოტამიური ძეგლების სავარაუდო ურთიერთდამოკიდებულების შესახებ აზრები ადრეც გამოთქმულა, მაგრამ აღნიშნული ძეგლების შესწავლამ ეს მოსაზრებები დაადასტურა.

Middle Bronze Age (ca. 2200 – 1500 BC), Late Bronze Age and Early Iron Age. (ca. 1500 – 500 BC)

During the Middle Bronze Age, an early urban culture appeared in Azerbaijan marked by glazed pottery. Similar urban residential areas were discovered and excavated in the Nakhchivan and Garabagh regions. Also during this period the Uzarliktapa and Tazakand archaeological cultures were wide spread throughout Azerbaijan. It was also a time when local populations strengthened their economic and cultural ties with Middle Eastern civilizations. Several graves were found in Ganja-Gazakh region before the construction of the pipelines, specifically graves were discovered at the Babadervish site in the Gazakh region and near the Garajamirli village in the Shamkir region. The most extensive archaeological excavations conducted along the pipelines route were those settlements that date to the Late Bronze and Early Iron Ages. A sample of sites that are located in the Ganja-Gazakh region, Garabagh region, southeastern Georgia and area northeast of present-day Armenia are associated with the Khojali-Gadabay culture dating to the second half of the 2nd millennium and beginning of the 1st millennium BC. The Borsunlu burial mound (272km) in the Goranboy region, the Zayamchai necropolis (365km) in the Shamkir region, the Tovuzchai necropolis (378km) in the Tovuz region, and the Hasansu necropolis (398.8km) in the Agstafa region excavated within the pipeline corridor all reflect this culture.

შუაბრინჯაოს ხანა (ძვ.წ. 2200 – 1500წწ.), გვიანბრინჯაოს ხანა (ძვ.წ. 1500 – 1200წწ.), რკინის ხანა (ძვ.წ. 1200 – 500წწ.)

შუა ბრინჯაოს ხანაში აზერბაიჯანის ტერიტორიაზე ადრეურბანული კულტურა ყალიბდება. ურბანული დასახლებები ყარაბახისა და ნახჭევანის ტერიტორიაზეა შესწავლილი. ამ დროს აზერბაიჯანში უზალრიკთეფესა და ტაზაკენტის კულტურები იყო გავრცელებული. ადგილობრივ მოსახლეობას ამ დროისათვის გაცხოველებული კულტურულ-ეკონომიკური ურთიერთობები ქონდა ახლო აღმოსავლეთის ცივილიზაციებთან. ამ პერიოდის რამდენიმე სამარხი მილსადენის მშენებლობამდეც იყო შესწავლილი ყარაჯამირლისა (ყაზახის რაიონი)და ბაბადერვიშის სამაროვნებზე (შამქორის რაიონი). მილსადენების ტერიტორიაზე ყველაზე მეტი გვიანბრინჯაოსა და ადრერკინის ხანის ძეგლი აღმოჩნდა. ძვ.წ. II ათასწელულის დასასრულსა და ძვ.წ I ათასწლეულის დასაწყისში აზერბაიჯანის განჯა-ყაზახისა და ყარაბახის რაიონებში, აგრეთვე მის მოსაზღვრე ტერიტორიებზე საქართველოსა და სომხეთში გავრცელებული იყო ხოჯალი-გებადეის კულტურა. ბორსუნლუს ყორღანი გორანბოის რაიონში, ზიამჩაის (შამქორის რაიონი), თოვუზჩაის (თოვუზის რაიონი) და ჰასანსუს (აღსტაფის რაიონი) სამაროვნები სწორედ ამ კულტურას მიეკუთვნება.

Rectangular Muslim gravestones with ornaments ascribed to the early medieval times discovered during the construction and archaeological excavations on the south-western part of Icheri Sheher (Old city) in Baku.

ადრე შუასაუკუნეების, მართკუთხა, ორნამენტირებული მუსლიმური საფლავის ქვები აღმოჩნდა სამშენებლო სამუშაოებისას და არქეოლოგიური გათხრებისას ძველი ბაქოს სამხრეთ-დასავლეთ ნაწილში.

Overall, more than 200 grave monuments related to the Upper Bronze-Early Iron Age have been excavated in the pipeline corridor. The deceased were positioned on their right or left sides with their arms and legs folded. They typically adorn trinkets, weapons, earthenware among other items displayed around the deceased's body. The excavation of these rich monuments has provided ample material for investigating the ancient funeral traditions of the region. Also of note during this time are the ancient kingdoms of Manna (Azerbaijan) and Urartu (eastern Anatolia), which were contemporaries of the Khojali-Gadabay culture during the Early Iron Age.

მილსადენების არქეოლოგიური პროგრამისას, სხვადასხვა ძეგლზე გვიანბრინჯაოსა და ადრერკინის ხანის ორასზე მეტი სამარხი გაითხარა. სამარხთა უმრავლესობაში, გვერდზე, კიდურებმოკეცილად დაკრძალული მიცვალებულების გარშემო აღმოჩნდა კერამიკული ნაწარმი, იარაღი და სამკაული. აქ მოპოვებული ნივთები დაკრძალვის რიტუალის კვლევისათვის მნიშვნელოვან მასალას გვაწვდის. აღსანიშნავია, რომ ადრერკინის ხანაში, ხოჯალი-გადაბაის კულტურის პარალელურად მანასა (აზერბაიჯანში) და ურარტუს (აღმოსავლეთ ანატოლიაში) სამეფოები არსებობდა.

Pots from the Hasansu site in Azerbaijan were coated with black polish, or burnished (polished to a shiny surface) during production. The white paint on this 17th-16th century BC pot, which is 26 centimeters wide and 24 centimeters tall, forms a striking pattern that, according to Najaf Müseyibli, symbolizes the sun. Ancient peoples often considered the sun as a source of fertility and used its image to decorate house wares and jewelry. The pot's rich color and decoration, and the absence of traces of fire on its bottom, indicate that it was used to serve guests on special occasions.

ჰასანსუს ყორღანის კერამიკა შავად გამომწვარი და ნაპრიალებია. XVII – XVI საუკუნის ჭურჭელზე (სიგანე 26 სმ., სიმაღლე 24 სმ.) თეთრი საღებავით დატანილი ორნამენტი მზის სიმბოლოს წარმოადგენს. უძველეს ხალხებს მიაჩნდათ, რომ მზე ნაყოფიერების წყაროა და სხვადასხვა ნივთებს ხშირად ამკობდნენ მისი გამოსახულებებით. ჭურჭლის მდიდარი ფერები და დეკორი, აგრეთვე ცეცხლის კვალის არარსებობა იმაზე მიგვანიშნებს, რომ ამ ნივთს განსაკუთრებული შემთხვევებისათვის იყენებდნენ.

This handsome ceramic pot, which is 23.5 centimeters high and 31 centimeters wide, was found in the Tovuzchai necropolis in the Tovuz region of Azerbaijan in 2004. It dates from the 12th-11th centuries BC. A highly stylized zoomorphic ornament on its upper side represents either a snake or a horse. Many scholars in the Caucasus today interpret zoomorphic images such as these to be linked to magic or fertility rituals or decorations.

ძვ. წ. XII-XI საუკუნეების ეს ჭურჭელი (სიმაღლე - 28,5 სმ, დიამეტრი - 31 სმ) თოვუზჩაის სამაროვანზე აღმოჩნდა. მის ზედა ნაწილზე დატანილია სტილიზებული, ზოომორფული ორნამენტი რომელიც გველს ან ცხენს გამოსახავს. ასეთი ზოომორფული გამოსახულებები, სავარაუდოდ, ნაყოფიერების მაგიურ რიტუალთან უნდა იყოს დაკავშირებული.

The AGT Pipelines Archaeological Program found a few examples of Antique period and later Medieval sites. The Seyidlar II residential area in the Samukh district (316 km) and the settlement and graveyard near the Chaparli village in the Shamkir district (335/336 km) are two such examples. The Chaparli site in particular is noteworthy because it contains Early Medieval graves and architectural remains. The carved limestone decorations in the area, one of which appears to depict a cross, led the excavators to interpret the structure as an early Christian chapel, belonging to a local Albanian community.

მილსადენების ტერიტორიის არქეოლოგიური კვლევისას აღმოჩენილია გვიან ანტიკური და შუა საუკუნეების რამდენიმე ძეგლი. სეიდლარ II (სამუხის რაიონი) და ჩაფარლი (შამქორის რაიონი) ამ პერიოდის ძეგლებია. ჩაფარლი, უმნიშვნელოვანესი ძეგლია და ამ პერიოდს საუკეთესოდ წარმოგვიჩენს. მასზე ადრე შუასაუკუნეების არქიტექტურული დეტალებია წარმოდგენილი. როგორც ჩანს, იგი ალბანურ საზოგადოებას ეკუთვნოდა. არქიტექტურულ დეტალზე შემორჩენილ ჯვარზე არსებული წარწერა გამთხრელებს აქ ქრისტიანული სამლოცველოს არსებობას ავარაუდებინებს.

Members of the 12th Roman Legion ("Fuminata") carved this important rock-art panel from Gobustan, Azerbaijan, during the reign of Emperor Domitian, ca. 75 AD. The legion, stationed in Cappadocia, was tasked with guarding Eastern Anatolia and the South Caucasus.

რომის მე-12 ლეგიონი "ფუმინატას" ჯარისკაცებმა, იმპერატორ დომიციანეს ზეობისას, 75 წელს, გობუსთანის კლდეზე წარწერა ამოკვეთეს. ლეგიონის დისლოკაციის ადგილი კაპადოკია იყო, მისი მიზანი კი - სამხრეთ კავკასიისა და აღმოსავლეთ ანატოლიის დაცვა.

This historic caravansaray (inn) in Sheki, Azerbaijan, has been refurbished as a contemporary hotel complex, with brick-lined corridors opening onto a courtyard.

ეს ისტორიული ქარვასლა შაქში (აზერბაიჯანი) თანამედროვე სასტუმროდაა გადაკეთებული, რომლის აგურით ნაგები დერეფნები შიდა ეზოში გადის.

Two kurgans, both dated to the mid-3rd millennium BC, were excavated in different parts of Georgia—Tori and Kvemo Kartli—during the pipelines project. The Tori site, known as the Kodiani Kurgan, is located on a ridge dividing two drainages of the Kodiana Mountain in the Borjomi district. A rock-filled mound measuring 14 meters in diameter with a pit (burial chamber) defines the kurgan at this site. Fragments of the burned human remains of a woman of about 50 in the burial chamber suggest that the deceased was cremated. The items buried with her included pots with black polished surfaces, one of which was decorated with incised and grooved ornaments. Generating the most interest, however, was evidence of apiculture (honey making) in the burial's ceramic vessels. Previously, the earliest archaeological evidence of apiculture was found in Asia Minor and Egypt, but the Tori site now appears to represent one of the earliest honeymaking locations.

The Tremlara Kurgan was found at the Kvemo Kartli site in the Tetritskaro district. It lies on the slope of the Bedeni Mountain and is characterized by a circular, rock- and soil-filled mounds 23m in diameter that encompassed two human graves (both 3rd millennium BC). The first grave, which did not have human remains inside of it, occupies a main central chamber cut in the bedrock and filled with stones, and contained a polished stone axe, bronze dagger, several small pots, and carbonized fragments of four wooden chariot wheels. The second grave is cut into the northwest side of the main chamber, and contained the remains of a woman. Both graves date to the mid-3rd millennium BC.

საქართველოს ორ მხარეში - თორსა (ბორჯომის რაიონში) და ქვემო ქართლში (თეთრიწყაროს რაიონში) მილსადენის მშენებლობისას გაითხარა ძვ.წ. III ათასწლეულის შუახანების ორი ყორღანი. კოდიანის ყორღანი მდებარეობს ბორჯომის რაიონში, კოდიანის მთაზე. სამარხი დაფარული იყო 14 მეტრის დიამეტრის ქვაყრილით. დასაკრძალავი კამერა მიწაში იყო ამოღებული. სამარხში 50-იოდე წლის ქალის კრემირებული ნაშთები იყო შემორჩენილი. სამარხში ჩატანებული იყო თიხის რამდენიმე შავპრიალა ჭურჭელი, რომელთაგან ერთი ორნამენტირებული იყო. უაღრესად საინტერესო აღმოჩნდა ერთი ჭურჭლის შიგთავსი, რომლის ანალიზის შედეგად დადგინდა, რომ ქოთანში თაფლი ინახებოდა. ამ აღმოჩენამდე ითვლებოდა, რომ მეფუტკრეობა მცირე აზიასა და ეგვიპტეში გაჩნდა, თუმცა, თორის მასალა ქრონოლოგიურად ორივეზე ადრეულია.

ტყემლარას ყორღანი (ძვ.წ. III ათასწლეულის შუა ხანები) მდებარეობს ქვემო ქართლში, თეთრიწყაროს რაიონში, ბედენის მთის სამხრეთ-დასავლეთ ფერდობზე. ყორღანი ქვა-მიწაყრილიანი, წრიული ფორმისა იყო (დიამეტრი 23 მ.). მასში ორი სამარხი დაფიქსირდა. ძირითადი სამარხი ყორღანის ცენტრში, თიხნარში, იყო ამოჭრილი, მეორე სამარხი კი მისგან ჩრდილო-დასავლეთით აღმოჩნდა გამართული. ორივე სამარხის იატაკზე აღმოჩენილია დანახშირებული ეტლის ღერძისა და ბორბლის ფრაგმენტები, ნაპრიალები ქვის ცული და ბრინჯაოს სატევარი, აგრეთვე თიხის შავპრიალა ჭურჭელი.

Middle Bronze Age (ca. 2000 – 1600 BC)

The Middle Bronze Age corresponds to Trialeti Culture (2000-1500 BC) in Georgia. The culture is named for the Trialeti Plateau, the area of southcentral Georgia traversed by the pipeline. The culture is best known for large and elaborate tombs and kurgans and cobbled access roads. These kurgans are famous for their brilliant grave goods that contain ceramic and bronze objects, which include fine jewelry.

Although these elaborate burial rituals suggest a complex social structure, almost nothing is known about the domestic life of Trialeti people because to date very few examples of Trialeti settlements have been found.

During the pipeline construction, a settlement from the Middle Bronze Age was excavated in the historical province of Georgia Trialeti, Tsalka District, on the plain north of Jinisi village, on the left bank of Gumbatistskali River. The Jinisi settlement consisted of two construction layers. Some of the earliest artifacts also came from the Mousterian or Middle Paleolithic.

The most important discoveries, however, were the houses and artifacts from the Middle Bronze Age. Four houses dating back to the end of the Middle Bronze Age featured a semi-dugout design. Stone walls were built in single-row bond masonry, and the floors were leveled with clay. Stone bases that fixed the wooden columns were situated in front of the walls and at the center of the interior. The columns supported flat roofs, and each house contained an oven and a hearth. The construction technique was similar to that used in the burial chambers of kurgans of the Trialeti Culture. The pottery discovered on the floors of the houses was black-burnished and ornamented with imprinted triangles, again typical of the pottery found in kurgans of the Trialeti Culture.

შუა ბრინჯაოს ხანა (ძვ.წ. 2000 – 1600წწ.)

საქართველოში შუაბრინჯაოს ხანა "თრიალეთურ კულტურას" უკავშირდება. ეს სახელი ამ კულტურას ქვეყნის სამხრეთით მდებარე თრიალეთის ზეგანის გამო დაერქვა. ამ ზეგანს მილსადენი დიდ ზოლზე კვეთს. თრიალეთის კულტურა ყველაზე მეტად დიდი და საგანგებოდ გამართული სამარხებით – ყორღანებით, ასევე მათკენ მიმავალი მოკირწყლული სარიტუალო გზებით, ორნამენტირებული კერამიკითა და ბრწყინვალე საიუველირო ნაკეთობებითაა ცნობილი.

დაკრძალვის რთული რიტუალებისათვის შესაბამისი მდიდარი სოციალური სტრუქტურის მიუხედავად, თრიალეთის მოსახლეობის ყოფა-ცხოვრების შესახებ თითქმის არაფერია ცნობილი, რადგან ამ კულტურისადმი მიკუთვნილი მხოლოდ რამდენიმე ნამოსახლარია ცნობილი.

მილსადენების მშენებლობისას საქართველოს ისტორიულ მხარეში, თრიალეთში (წალკის რაიონი), სოფ. ჯინისის მახლობლად გაითხარა შუა ბრინჯაოს ხანის ნამოსახლარი. აქ ზედაპირულად აკრეფილია შუა პალეოლითის, მუსტიეური ქვის იარაღი, რომელიც თავდაპირველი ადგილიდან დაძრული უნდა იყოს.

უმნიშვნელოვანესია შუა ბრინჯაოს ხანის ფენაში მიკვლეული ნივთები. აქ შესწავლილი ოთხი სახლი თიხნარში ჩაჭრილი ნახევრადმიწური ნაგებობაა, რომლის კედლები რიყის ქვითაა ნაგები, იატაკი თიხით იყო მოტკეპნილი. სახლების გადახურვა ბანურია; ბრტყელი სახურავი დაბჯენილი იყო ქვის ბალიშებზე დადგმულ ხის ბოძებზე. სახლებში გამართული იყო კერა და ღუმელი. სახლების კონსტრუქცია გარკვეულწილად თრიალეთური კულტურის ყორღანებში გამოყენებულ სამშენებლო ტექნიკას ემთხვევა. ნაგებობებში აღმოჩენილი კერამიკის ნაწილი შავპრიალაა და შემკულია შტამპით დატანილი სამკუთხა ორნამენტით, რაც თრიალეთის კულტურისათვისაა დამახასიათებელი.

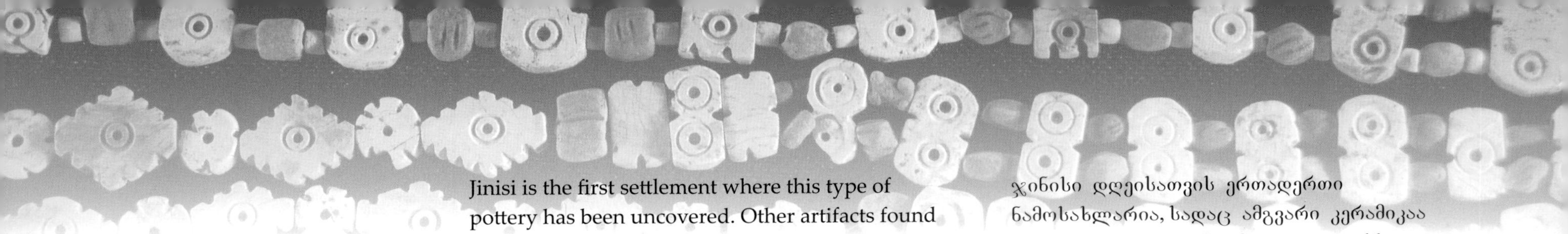

Jinisi is the first settlement where this type of pottery has been uncovered. Other artifacts found at the site—a variety of querns, mortars, chopping tools—along with the results of pollen studies indicate the advanced development of agricultural crop production in the 18th-17th centuries BC, with wheat and rye the major crops. Bones of wild animals discovered on the floors of the houses demonstrate the importance of hunting and well-developed experience with farm animals, including horse breeding.

Late Bronze-Early Iron Age (ca. 1600 – 600 BC)

The Late Bronze Age in Georgia saw the start of the historical distinction between eastern and western Georgia. Assyrian and then Urartian written sources contain the first references to proto-Georgian tribes and states. The proto-Georgian state of Diauehi (Diauhi or Diaokhi) was formed in the 12th century BC at the sources of the Chorokhi and Euphrates Rivers. It is first identified with the state of Daiaeni and with an inscription dating from Assyrian King Tiglath-Pileser I's third year (1118 BC). After centuries of battling for independence from the Assyrians, in the first half of the 8th century BC Urartu annexed a large part of Diauehi. Extremely weakened by these wars, in the mid 8th century BC Diauehi was finally destroyed by another proto-Georgian kingdom, Kulkha (Colchis in Greek sources). Colchis was formed in the 13th century BC on the eastern shore of the Black Sea. According to Greek mythology, it was a wealthy kingdom situated in the mysterious periphery of the heroic world. Here, in the sacred grove of the war god Ares, King Aeetes hung the Golden Fleece until Jason and the Argonauts seized it. Colchis was also the land where Zeus punished the mythological Prometheus for revealing the secret of fire to humanity by chaining him to a mountain. Colchis disintegrated after the invasion of Cimmerians and Scythians in the last quarter of the 8th century BC.

ჯინისი დღეისათვის ერთადერთი ნამოსახლარია, სადაც ამგვარი კერამიკაა აღმოჩენილი. ძეგლზე მიკვლეული სხვა ნივთები და პალინოლოგიური მასალა ძვ.წ. XVIII - XVII საუკუნეებში მიწათმოქმედების განვითარებაზე მიანიშნებს. აქაურებს ქერი და ხორბალი მოჰყავდათ. ნადირობის მნიშვნელობასა და მეცხოველეობის განვითარებას ხაზს უსვამს სახლებში აღმოჩენილი ცხოველთა ძვლები, მათ შორის ცხენის ნაშთები, რომელთა არსებობაც შინაური ცხოველების მოშენებაზე მიგვითითებს.

გვიანბრინჯაო-ადრერკინის ხანა (ძვ.წ. 1600 – 600წწ.)

გვიანი ბრინჯაოს ხანა ერთიანი ქართველური ენის აღმოსავლურ და დასავლეთ ქართულ ენებად გამიჯვნის საწყის პერიოდს ემთხვევა. პროტოქართველური ტომებისა და სახელმწიფოებრივი გაერთიანებების შესახებ უძველესი ცნობები ასურულსა და ურარტულ წყაროებში მოიპოვება. ერთ-ერთი მათგანი იყო დიაოხი, რომლის ჩამოყალიბება ძვ.წ. XII საუკუნისათვისაა ნავარაუდევი. იგი პირველად იხსენიება ასურეთის მეფე ტიგლათფილესერ I-ის წარწერაში (ძვ.წ. 1118წწ). ძვ.წ. VIII საუკუნეში ურარტუმ რამდენჯერმე ილაშქრა დიაოხში და მისი ნაწილის დაპყრობაც მოახერხა. ამავე საუკუნის შუა ხანებში ომებისაგან დასუსტებული დიაოხი მეზობელმა, ასევე პროტოქართველურმა სახელმწიფომ, კულხამ (კოლხეთმა) დაიმორჩილა. კოლხეთის სამეფო შავი ზღვის აღმოსავლეთ სანაპიროზე ძვ.წ. XIII საუკუნეში წარმოიშვა. ბერძნული მითების მიხედვით, ეს მდიდარი ქვეყანა გმირული სამყაროს განაპირას მდებარეობდა. კოლხეთის მეფე აიეტი არესის ჭალაში ოქროს საწმისს ინახავდა, რომელიც შემდეგ არგონავტებმა გაიტაცეს. მითი პრომეთეს შესახებ გვიამბობს, რომ მან ხალხს ცეცხლის საიდუმლო გააცნო, ზევსმა კი იგი დასაჯა და კოლხეთის მთებში კლდეს მიაჯაჭვა. ძვ.წ. VIII საუკუნეში კოლხეთში კიმირიელები და სკვითები შეიჭრნენ, რამაც ქვეყნის დაცემა გამოიწვია.

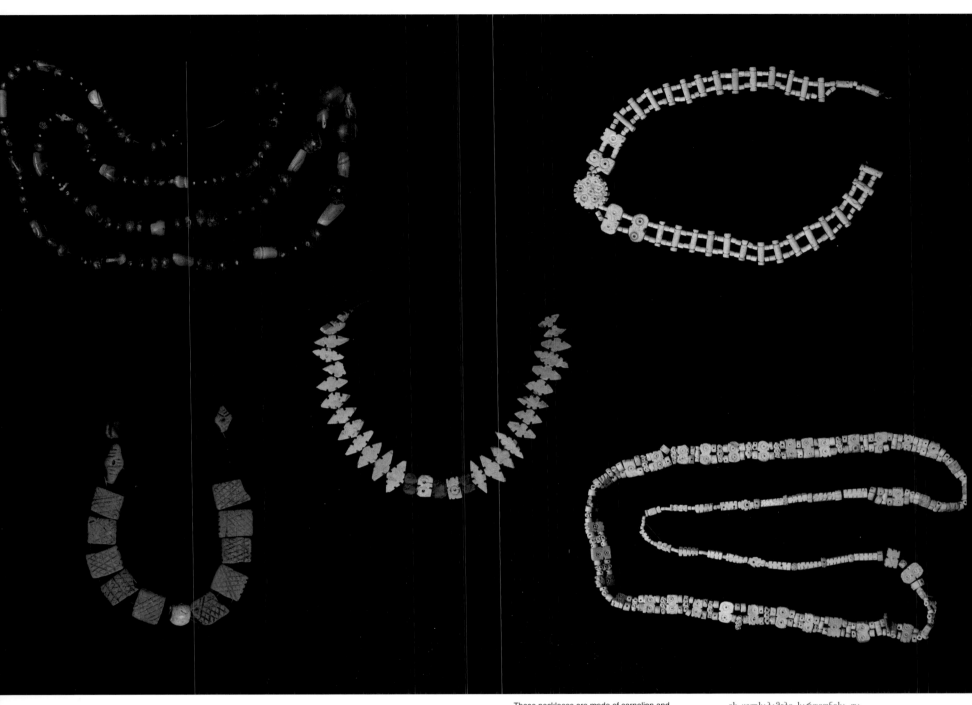

These necklaces are made of carnelian and glass paste beads. The white and green ones, called domino-like beads, are characteristic of the 7th-6th century BC. All were found at the Eli Baba Cemetery near Tsalka, Georgia on the necks or hands of human remains. Because the graves had previously been looted, the individual beads had been displaced, so it was impossible to identify which objects were parts of necklaces and which of bracelets.

ეს ყელსაბამები სარდიონისა და მინისებური პასტისაგან შედგება. თეთრი და მწვანე მძივები ცნობილია, როგორც დომინოსებური მძივები და ძვ.წ. VII–VI საუკუნეებით თარიღდება. ყველა აღმოჩენილია საქართველოში, წალკის რაიონში, ელი ბაბას სამაროვანზე, მიცვალებულების ყელისა და მკერდის არეში.

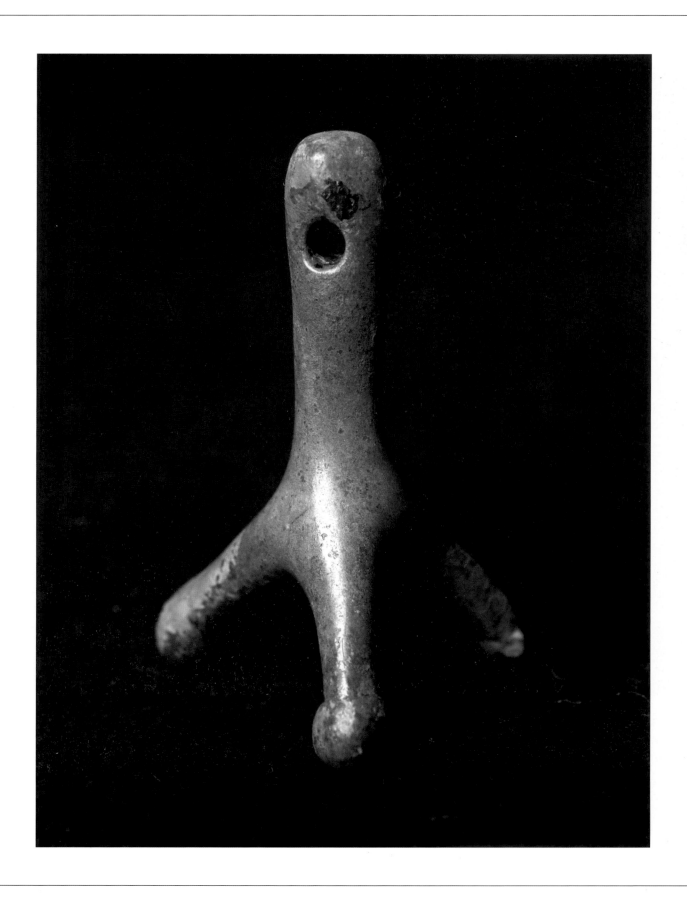

A number of bronze pendants similar to the circular ornament on the right were found in graves of the Eli Baba Cemetery near Tsalka, Georgia. The unidentified bronze object on the left, which was found in a location adjacent to the pendant, may have also been worn as a decorative item. Several other bronze artifacts such as pins and bracelets were discovered at this site.

ელი ბაბას სამაროვანზე (საქართველო, წალკის რაიონი) სხვადასხვა ფორმის ბრინჯაოს სამკაულია აღმოჩენილი (საკინძები, საკიდები, სამაჯურები და სხვა). მარჯვნივ გვერდებამოჭრილი წრიული ფორმის საკიდია, მარცხენა ფოტოზე ასევე საკიდია გამოსახული. ორივე ნივთი ერთ სამარხშია მოპოვებული.

Several of the circular stone graves in the Eli Baba Cemetery were marked by a menhir (vertical stone). An unfortunate consequence of the use of menhirs was to signal the presence of the necropolis for later grave looters.

ელი ბაბას სამაროვნის ზოგიერთი სამარხზე ვერტიკალურად აღმართული ქვა -მენჰირი იდგა. მოგვიანებით მძარცველები სამაროვნებს ამ ნიშნის მიხედვით აგნებდნენ.

Excavations of the Late Bronze Age graves in the Eli Baba Cemetery generally yielded few burial artifacts, perhaps because of looting.

ელი ბაბას სამაროვნის გათხრებისას არც თუ ისე ბევრი არქეოლოგიური მასალა გამოავლინა, რაგან სამაროვანი გაძარცვული იყო.

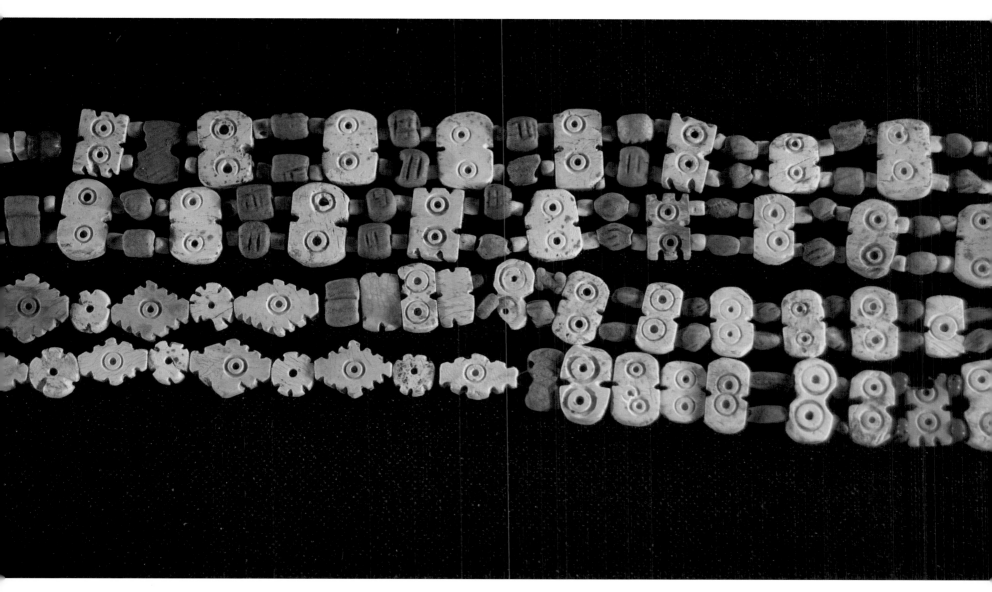

This necklace of bone and ivory was one of several found at the Eli Baba site.

მძივების ეს ასხმა ელი ბაბას სამაროვნის მცირეოდენი მასალის ერთი ნაწილია.

There are no written sources about the territory of eastern Georgia in the Late Bronze-Early Iron Age. However, several rich archaeological sites provide information about the cultural and political situation. One of the most interesting sites of the Late Bronze Age, the Saphar-Kharaba cemetery (discussed more extensively in Chapter 3), was excavated as a result of the pipeline construction.

Early Classical (Early Antique) Period (ca. 600 – 300 BC)

Toward the mid-6th century BC, the tribes living in southern Colchis were incorporated into the 19th Satrapy of Persia. The advanced economy and favorable geographic and natural conditions of the area attracted Greeks, who colonized the Colchian coast, establishing trading posts at Phasis, Guuenos, Dioscurias, and Pitius during the 6th-5th centuries BC. According to archaeological discoveries, Colchis emerged as an economically and culturally advanced state during this period, with evidence of key elements of a strong civilization: civic structure (territorial-administrative divisions) and central state authority (the royal dynasty of the Aeetids); intensive urban life; a complex taxation system; and cultural manifestations, including architecture. The eastern part of Georgia is believed to have been partially under the Achaemenid Empire. During this period various eastern Georgian tribes struggled for leadership, with the Kartlian tribes eventually prevailing. At the end of the 4th century BC the Kartli (Iberia) Kingdom, the first eastern Georgian state, was founded.

გვიანბრინჯაო – ადრერკინის ხანის აღმოსავლეთ საქართველოს შესახებ წერილობითი წყაროები არ არსებობს, თუმცა, ამ პერიოდის შესახებ მნიშვნელოვანი ინფორმაცია არქეოლოგიური ძეგლების შესწავლამ მოგვცა. ერთ-ერთი ასეთი ძეგლია მილსადენების მშენებლობისას გათხრილი საფარ-ხარაბას სამაროვანი, რომელიც მესამე თავში იქნება განხილული.

ადრეანტიკური ხანა (ძვ.წ. 600 – 300წწ.)

ძვ.წ. VI საუკუნის შუახანში კოლხეთის სამხრეთით მოსახლე ტომები აქემენიდური ირანის XIX სატრაპიაში შევიდნენ. კოლხეთის განვითარებულმა ეკონომიკამ, ხელსაყრელმა გეოგრაფიულმა მდებარეობამ და კლიმატმა შავი ზღვის კოლხეთის სანაპიროზე ბერძნულ კოლონიზაცია შეუწყო ხელი. ძვ.წ. VI-V საუკუნეებში ბერძნებმა თავიანთი ახალშენები ფაზისში, გიენოსში, პიტიუნტსა და დიოსკურიაში დააარსეს. ამ დროის კოლხეთი უნდა ყოფილიყო ეკონომიკურად და კულტურულად დაწინაურებული ქვეყანა, რომელსაც სახელმწიფოებრიობის ძირითადი ნიშნები – ტერიტორიულ-ადმინისტრაციული დაყოფა, ცენტრალიზებული მმართველობა (აეტიდების სამეფო დინასტია), ინტენსიური საქალაქო ცხოვრება და საგადასახადო სისტემა ჰქონდა. საქართველოს აღმოსავლეთი ნაწილი - ქართლი ნაწილობრივ ემორჩილებოდა აქემენიდურ იმპერიას. აქ მიმდინარეობდა სახელმწიფოს წარმოშობის რთული პროცესი, რომელიც IV საუკუნის დასასრულს ქართლის სამეფოს ჩამოყალიბებით დასრულდა.

This particular object, the head of a bull made of clay mixed with straw, was found in one of the structures of the Ktsia Valley settlement dating from the 6th-4th centuries BC. The bull is believed to have been a holy animal associated with fertility and the moon. Depictions of the bull are found at sites of various periods.

ალიზისაგან დამზადებული ხარის თავი ქციის ველის ნამოსახლარის ერთ-ერთ სახლში აღმოჩნდა. ხარი წმინდა ცხოველი იყო, რომელიც მთვარესა და ნაყოფიერებას განასახიერებდა. ხარის გამოსახულებები საქართველოში არაერთ ძეგლზე გვხვდება.

Extraordinary artistic ability and craftsmanship
are evident in these fragments of a ceramic lamp
found at a site in Klde, Georgia. It features a relief
of Pegasus, the winged horse supposedly sired by
Poseidon.

თიხის ჭრაქის ეს ნატეხები საქართველოში,
კლდის ნამოსახლარზეა აღმოჩენილი
და ხელოსნის მაღალ ოსტატობაზე
მიგვითითებს. მასზე მფრინავი რაში -
პეგასია გამოსახული.

This silver coin is believed to have been issued
by the Parthian King Gotarzes I, who ruled the
Parthian Empire from 95-90 BC. The Empire at its
greatest extent included portions of Georgia, as well
as most of what is today the Middle East.

საქართველოს ტერიტორიაზე
გავრცელებული პართიის მეფე გოტარზეს
ვერცხლის დრაქმები (აღმოჩენილია კლდის
ნამოსახლარზე) ამ ქვეყნის დიდ გავლენაზე
მეტყველებს. პართიის იმპერია შუა აზიისა
და ირანის ტერიტორიას მოიცავდა და
კავკასიაზეც ავრცელებდა თავის გავლენას.

This carnelian stone from a silver ring found at
Klde, Georgia, depicts three standing figures
wearing long chitons or mantles folded at the
waist with ribbons. The figure on the right might
be Demeter, goddess of the seasons, while the
central figure might be Nemesis, the spirit of
divine retribution.

კლდის ნამოსახლარზე ნაპოვნი ვერცხლის
ბეჭდის სარდიონის ინტალიოზე
გამოსახულია ფეხზე მდგომი, გრძელ
ქიტონებში გამოწყობილი სამი ფიგურა.
მარჯვენა გამოსახულება წელიწადის
დროების ღვთაება დემეტრა უნდა იყოს,
ცენტრში კი – ღვთაებრივი შურისძიების
სული ნემეზიდა.

Kartli (Iberian) Kingdom to the Late Classical Period (ca. 0 – 400 AD)

In the first century AD the Kartli (Iberia) Kingdom was under the cultural influence of Rome and the Parthian Empires, later replaced by the Sassanian Empire in 226 AD. Evidence of close political and cultural relationships between Rome and Kartli are well represented on a noteworthy stone inscription discovered at Mtskheta, which notes that the Roman Emperor Vespasian supported Mithridates, "the friend of the Caesars" and king "of the Roman-loving Iberians," in reconstructing the fortification of Mtskheta in 75 AD. During this period, a trade road running from India to Greece crossed the territory of Kartli. Kartli controlled the most important passes of the Central Caucasus, which meant it protected the central Asian domains of Rome from the invasion of aggressive nomadic tribes from the northern Caucasus. Consequently, the Romans profited from a strengthening of Kartli. The importance of the Kartli Kingdom to Rome grew in the 2nd century. During the reign of the Roman Emperor Antoninus Pius in the 2nd quarter of the 2nd century AD, King Pharsman II of Kartli visited Rome, where a statue was erected in his honor.

ქართლის (იბერიის) სამეფო გვიანანტიკურ ხანაში (I – IV საუკუნეები)

ახალი წელთაღრიცხვის პირველ საუკუნეში ქართლის სამეფო რომისა და პართიის იმპერიების კულტურული გავლენას განიცდიდა. 226 წელს პართიის ნაცვლად თანამედროვე ირანის ტერიტორიაზე სასანური ირანი ჩაენაცვლა. რომისა და ქართლის პოლიტიკურსა და კულტურულ ურთიერთობაზე მეტყველებს მცხეთის მახლობლად აღმოჩენილი, 75 წლით დათარიღებული, წარწერა, რომლის მიხედვით ირკვევა, რომ იმპერატორ ვესპასიანეს თავისი "მეგობრისათვის", ქართლის რომაელთმოყვარე მეფე მითრიდატესათვის მცხეთის გალავანი განუახლებია. ამ დროისათვის ინდოეთიდან საბერძნეთისაკენ მიმავალი გზა ქართლის ტერიტორიას კვეთდა. ქართლს ეპყრა კავკასიის მნიშვნელოვანი უღელტეხილები და ჩრდილო კავკასიის მომთაბარე ტომების მოძრაობის გაკონტროლება შეეძლო. შესაბამისად, რომი დაინტერესებული იყო ქართლთან კარგი ურთიერთობებით, რაც მისი აზიური სამფლობელოების ჩრდილოეთიდან დაცვას ნიშნავდა. მეორე საუკუნეში ქართლი კიდევ უფრო ანგარიშგასაწევი ძალა გახდა. II საუკუნის მეორე მეოთხედში ქართლის მეფე ფარსმანი იმპერატორ ანტონინუს პიუსის მიწვევით რომს ესტუმრა, რის აღსანიშნავად მარსის ველზე მისი ქანდაკება დაიდგა.

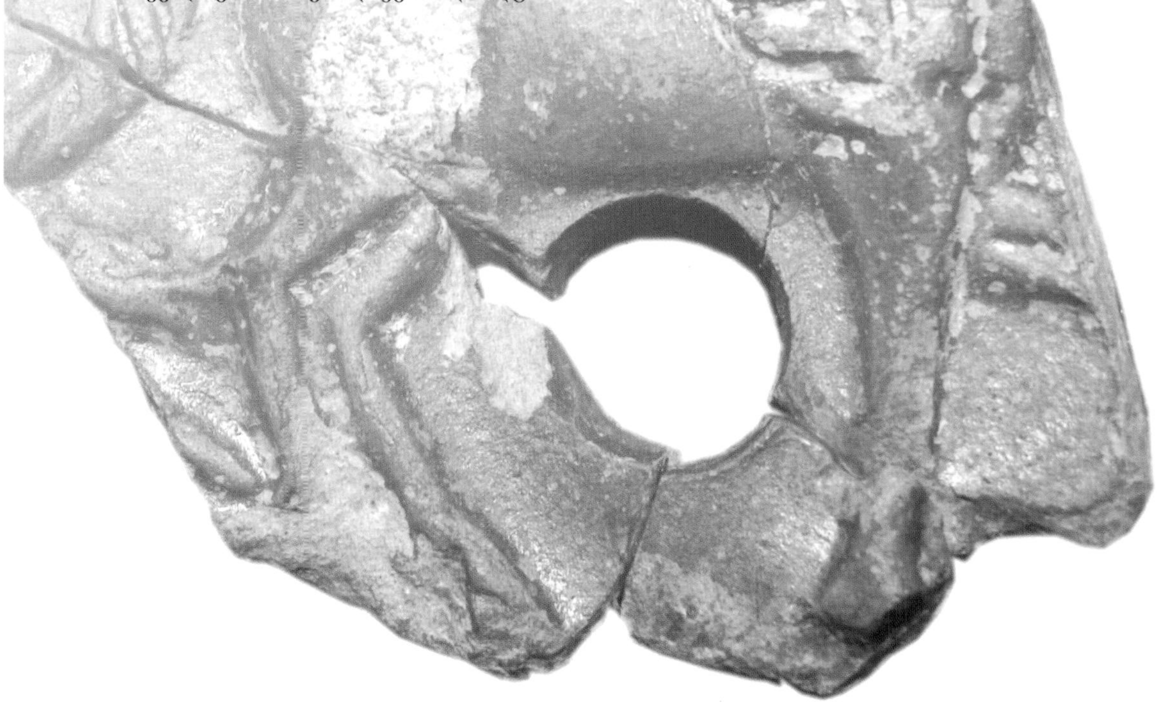

During the following two centuries, the new Persian Empire led by the Sassanid dynasty made control over the South Caucasus a main objective of its expansion. Kartli stood firmly with Rome and opposed the Persian Empire. An impressive expression of its Roman orientation was the declaration of Christianity as the state religion. During the 1st century AD, the Apostle Saint Andrew brought Christianity into Georgia, a small part of the population adopted it. Finally, in 326 AD, during the reign of King Mirian, a Cappadocian woman, Saint Nino converted Kartli to that religion. Many scholars argue that the Georgian alphabet was created in the 4th or 5th century AD to make religious scripture more accessible to Georgians. The oldest examples of Georgian writing are from two 5th century AD inscriptions, one found in a church in Bethlehem, and the second in the church of Bolnisi Sioni, currently in the southern part of Georgia. Although Georgian historical tradition attributed the invention of the Georgian alphabet to Parnavaz I of Kartli in the 3rd century BC, there is no clear evidence of it prior to these inscriptions from the 5th century AD. [6]

Early Medieval Period (ca. 400 – 1000 AD)

Georgia's medieval culture was greatly influenced by eastern Christianity and the Georgian Orthodox Apostolic Church, which promoted and often sponsored the creation of many works of religious devotion. During the 5th century AD, Peter the Iberian (or Peter of Iberia), a Georgian Orthodox saint and prominent figure in early Christianity, founded Bethlehem, the first Georgian monastery outside Georgia. During this period, Sassanian kings conquered the neighboring countries and appointed a viceroy in Kartli who promoted the teachings of Zoroaster. However, efforts to convert the common Georgian people were generally unsuccessful.

მესამე საუკუნის ოციან წლებში წარმოშობილმა ახალმა ირანულმა სახელმწიფომ - სასანურმა იმპერიამ თავისი ექსპანსიის ერთ-ერთ სამიზნედ კავკასია შეარჩია. შემდგომი ორი საუკუნის განმავლობაში ქართლი ძირითადად რომაულ ორიენტაციას ინარჩუნებდა, რის მაგალითად 326 წელს, მეფე მირიანის ზეობისას, ქრისტიანობის სახელმწიფო რელიგიად გამოცხადებაც კმარა. ქრისტიანობა საქართველოში ჯერ კიდევ I საუკუნეში შემოვიდა, როდესაც ანდრია პირველწოდებულმა აქაური მოსახლეობის ნაწილის მოქცევა შეძლო. კაპადოკიელი ქალწულის, წმინდა ნინოს ქადაგებას კი მირიან მეფის გაქრისტიანებაც მოჰყვა. მეცნიერების აზრით, ქართული ანბანი IV-V საუკუნეებში შეიქმნა. მისი უძველესი ნიმუშები ცნობილია V საუკუნის ძეგლებიდან – ბეთლემიდან და ბოლნისის სიონიდან. [6] მიუხედავად იმისა, რომ ქართული ისტორიული წყაროები ქართული დამწერლობის შემოღებას ძვ.წ. III საუკუნის მეფეს, ფარნავაზ I-ს უკავშირებენ, ჯერ-ჯერობით ამ მოსაზრების დადასტურება არ ხერხდება და V საუკუნეზე ადრეული დამწერლობის ნიმუში არ ჩანს.

ადრე შუასაუკუნეები (V – IX საუკუნეები)

შუა საუკუნეების ქართულ კულტურაზე დიდი გავლენა მოახდინა ქართულმა მართლმადიდებლურმა სამოციქულო ეკლესიამ, რომლის წიაღშიც წარმოიშვა არაერთი რელიგიური და საერო ნაშრომი. V საუკუნეში მოღვაწე წმინდანის, პეტრე იბერიელის მიერ ბეთლემში დაარსებული მონასტერი საქართველოს გარეთ არსებული პირველი ქართული მონასტერი იყო. ამ დროისათვის ირანის სასანიანმა შაჰებმა მეზობელი ქვეყნები დაიპყრეს და ქართლში თავიანთი მოხელე გამოაგზავნეს, რათა მას აქ ცეცხლთაყვანისმცემლობა გაევრცელებინა. მიუხედავად მათი დიდი სურვილისა, ეს მცდელობა წარუმატებელი აღმოჩნდა.

Table showing ancient and modern Georgian alphabets.

ცხრილში წარმოდგენილია ძველი და ახალი ქართული ანბანები.

The Georgian Alphabets

1	2	3	4	1	2	3	4
Ⴀ	ა	*a*	*an*	Ⴐ	რ	*r*	*rae*
Ⴁ	ბ	*b*	*ban*	Ⴑ	ს	*s*	*san*
Ⴂ	გ	*g*	*gan*	Ⴒ	ტ	*t'*	*t'ar*
Ⴃ	დ	*d*	*don*	Ⴣ	ჳ	*wi*	*wie*
Ⴄ	ე	*e*	*en*	Ⴔ	ფ	p^h	$p^h ar$
Ⴅ	ვ	*v*	*vin*	Ⴕ	ქ	k^h	$k^h an$
Ⴆ	ზ	*z*	*zen*	Ⴖ	ღ	*ɣ*	*ɣan*
Ⴡ	ჱ	*ej*	*he*	Ⴗ	ყ	*q'*	*q'ar*
Ⴇ	თ	t^h	$t^h an$	Ⴘ	შ	*š*	*šin*
Ⴈ	ი	*i*	*in*	Ⴙ	ჩ	*č*	*čin*
Ⴉ	კ	*k'*	*k'an*	Ⴚ	ც	*c*	*can*
Ⴊ	ლ	*l*	*las*	Ⴛ	ძ	*ʒ*	*ʒil*
Ⴋ	მ	*m*	*man*	Ⴜ	წ	*c'*	*c'il*
Ⴌ	ნ	*n*	*nar*	Ⴝ	ჭ	*č'*	*č'ar*
Ⴢ	ჲ	*j*	*je*	Ⴞ	ხ	*x*	*xan*
Ⴍ	ო	*o*	*on*	Ⴤ	ჴ	q^h	$q^h ar$
Ⴎ	პ	*p'*	*p'ar*	Ⴟ	ჯ	*ǯ*	*ǯan*
Ⴏ	ჟ	*ž*	*žan*	Ⴠ	ჰ	*h*	*hae*

1. The oldest Georgian alphabet, called Asomtavruli used from the 5th century
2. The present day alphabet called Mkhedruli used from 11th century
3. The phonetic values of the letters
4. The names of the phonetic values

The Svetitskhoveli ("Living Pillar") Cathedral in Mtskheta, Georgia, was built in the 11th century AD on the site of an earlier church. Legend holds that Jesus's robe was buried at this site.

სვეტიცხოვლის საკათედრო ტაძარი მცხეთაში XI საუკუნეში აიგო ადრეული ტაძრის ადგილზე. აქ მაცხოვრის კვართია დაკრძალული.

In the second half of the 5th century AD, King Vakhtang Gorgasali successfully unified the people of the Transcaucasus against the Sassanid dynasty. He is associated with the founding of Tbilisi. In the early 6th century AD, Vakhtang Gorgasali was killed in the struggle against the Persians; by the end of the century Sassanian kings abolished the monarchy in Kartli, making it a Persian province. From the beginning of the 7th century AD, Byzantium predominated in western and eastern Georgia, until the Arabs invaded the Caucasus. Arab invaders reached Kartli in the mid-7th century AD and forced its prince to recognize the Caliph as his suzerain. At the beginning of the 9th century AD, Prince Ashot Bagrationi, the first of a new, local Bagrationi Dynasty, established himself as hereditary Prince of Iberia.[7]

Throughout the Early Medieval Period, Georgian Christian literature and architecture, mainly religious, flourished. Commendable examples of the cultural life of Georgia in this period are the Holy Cross Church in Mtskheta (6th century AD), the monastic complex of Davit Gareji, and the oldest surviving work of Georgian literature, "The Passion of Saint Shushanik" by Jakob Tsurtaveli, written between 476 and 483. In the 9th century AD, a prominent Georgian ecclesiastic, St. Grigol Khanzteli (Gregory of Khandzta) founded numerous monastic communities in Tao-Klarjeti in southwest Georgia. These monasteries and their scriptoria functioned as centers of knowledge for centuries and played an important role in the formation of the Georgian state.

V საუკუნის მეორე ნახევარში ქართლის მეფე ვახტანგ გორგასალი, რომელსაც თბილისის დაარსება მიეწერება, სათავეში ჩაუდგა ტრანსკავკასიურ ანტიირანულ აჯანყებას, რომელმაც სრულიად ქართლი და სომხეთი მოიცვა. VI საუკუნის დასაწყისში ვახტანგ გორგასალი ირანელების წინააღმდეგ ბრძოლაში დაიღუპა. ამავე საუკუნეში სასანიანებმა ქართლის სამეფოს გაუქმება მოახერხეს, იგი სპარსეთის პროვინციად აქციეს და აქ მარზპანი დანიშნეს. VII საუკუნის ოციან წლებში ბიზანტიამ საქართველოს დასავლეთსა და აღმოსავლეთ მხარეებში ნაწილობრივი კონტროლის დაწესება შეძლო, მაგრამ ამავე საუკუნის შუა ხანში კავკასიაში არაბები შემოიჭრნენ და ქართლის ერისმთავარი აიძულეს მათი ქვეშევრდომი გამხდარიყო. IX საუკუნის დასაწყისში აშოტ ბაგრატიონმა სამხრეთ საქართველოში დამოუკიდებელი სამთავრო დააარსა და ბაგრატიონთა სამეფო დინასტიას დაუდო საფუძველი.[7]

ადრე შუა საუკუნეები ქართული ქრისტიანული ლიტერატურისა და ხუროთმოძღვრების არნახული აყვავების პეიოდია. ამ კულტურული ცხოვრების მაგალითია საყოველთაოდ ცნობილი ჯვრის ტაძარი და დავით გარეჯის მონასტერი. ამავე პერიოდს მიეკუთვნება ქართული მწერლობის უძველესი, ჩვენამდე მოღწეული ნაწარმოები, იაკობ ცურტაველის "შუშანიკის წამება", რომელიც 476-483 წლებს შორის დაიწერა. IX საუკუნეში მოღვაწეობდა დიდი ქართველი სასულიერო მოღვაწე წმინდა გრიგოლ ხანძთელი, რომელმაც საქართველოს სამხრეთ-დასავლეთ ნაწილში - ტაო-კლარჯეთში (ამჟამად თურქეთის ნაწილი) არაერთი მონასტერი დააარსა. საუკუნეების განმავლობაში ამ მონასტრებში იქმნებოდა მნიშვნელოვანი სასულიერო და საერო ლიტერატურა. ამ მონასტრებს საგანმანათლებლო ფუნქციაც ჰქონდათ.

Excavations for the SCP project produced this inscribed cross from the Atskuri winery. Archaeologists believe the inscription stands for Tsminda and Giorgi (Saint George).

აწყურის მარნების გათხრებისას აღმოჩენილ ამ ჯვარზე ამოკვეთილია წარწერა - "წმინდა გიორგი".

Georgia from 1000 to 1300 AD

In the late 10th and early 11th centuries AD, King Bagrat III brought the various principalities of Georgia together to form a united Georgian state. In 1121, near Didgori, King David IV defeated the coalition of Seljuk Turk troops. King David, often referred to as David the Builder, spared no effort to strengthen the country. He reformed the army, regenerated the economy, altered the activities of the church, and strengthened the governmental system. When he died in 1125, he left Georgia as a strong regional power.

საქართველო X – XIII საუკუნეებში

X საუკუნის დასასრულსა და XI საუკუნის დასაწყისში მეფე ბაგრატ მესამემ საქართველოს სამეფო-სამთავროები გააერთიანა. 1121 წელს, მეფე დავით მეოთხემ, რომელიც აღმაშენებლის სახელითაა ცნობილი, დიდგორის მახლობლად სელჯუკთა კოალიციური არ€ია გაანადგურა. მან სამხედრო და ადმინისტრაციული რეფორმა ჩაატარა, ეკლესიის როლი ჩარჩოებში მოაქცია, გააჯანსაღა ეკონომიკა და განამტკიცა სახელმწიფიებრიობა. გარდაცვალების (1125) შემდეგ კი მან შთამომავლობას ძლიერი საქართველო დაუტოვა.

A partially reconstructed jar or cup recovered from a site near the Chivchavi Gorge in southern Georgia.

ნაწილობრივ აღდგენილი თიხის ჭურჭელი ჭივჭავის ხეობიდან.

Turkey

Late Bronze Age to Iron Age (ca. 1500 – 400 BC)

Anatolia was known as the "Land of the Hatti" by the Akkadians as early as the third millennium BC, after the Bronze Age people who dominated the region. The Hittites, an Indo-European-speaking people, replace the Hattis as rulers of Anatolia early in the second millennium BC. The Hittites adopted cuneiform writing from Assyrian traders and assumed control of the trading colonies spread throughout Anatolia. At its height, the Hittite Kingdom extended to Syria and Upper Mesopotamia, with its capital at Hattusa.

By the second half of the 13th century BC, the Hittite Kingdom was in decline and being pressured economically and politically by its neighbors. It fought the Egyptians in the Levant under Ramses II, saw the Assyrians defeat its vassal state of Mittani in northern Syria, and faced incursions by the Sea Peoples (a confederacy of seafaring raiders). In 1180 BC the Kingdom collapsed and devolved into a number of neo-Hittite city states, including Tabal in southeast Anatolia and the Mushki Kingdom in Cappadocia (both now part of Turkey), Carchemish (on the frontier between Turkey and Syria), and Kammanu (in south-central Anatolia). The end of the Hittite Kingdom caused established political, military, economic, and social relations to change throughout eastern Anatolia, leading to the political and economic instability of the Early Iron Age.

An Early Iron Age Settlement at Büyükardıç Hill presented difficult conditions for settlers. Agriculture in this mountainous area was difficult due to the high altitude (2,050m), and long distance from the creek valley below. Yet within this context of a hilltop overlooking a key transportation corridor in northeastern Anatolia, a successful settlement appears to have flourished. This intriguing settlement yields insights into what was happening in this period of political unrest.

This grooved clay vessel uncovered at the Büyükardıç site contained iron residue and the two holes in its shoulder. The vessel, an artifact commonly found at Bronze and Iron Age sites in eastern Anatolia, was likely used for heating and creating metal objects.

ბუიუქარდიჩში აღმოჩენილი თიხის ეს ჭურჭელი რკინის წიდას შეიცავს. მის მხარზე ორი ხვრელია დატოვებული. როგორც ჩანს, იგი ლითონის ნივთების დასამზადებლად გამოიყენებოდა.

თურქეთი

გვიანბრინჯაოდან რკინის ხანამდე (ძვ.წ. 1500 – 400წწ.)

ძვ.წ. III ათასწლეულში ანატოლია რეგიონში უძლიერესი ხალხის - აქადელებისათვის, ხათის ქვეყანად იყო ცნობილი. ინდოევროპელი ხეთები მეორე ათასწლეულის დასაწყისიდან ჩაენაცვლნენ ხათებს და თავიანთი ძალაუფლება ანატოლიაზე გაავრცელეს. ხეთებმა ლურსმული დამწერლობა ასურელი ვაჭრებისგან გადაიღეს და კონტროლი დააწესეს ანატოლიის სავაჭრო ქალაქებზე. ძლიერების ზენიტში მყოფი ხეთების სამეფო სირიასა და ზედა მესოპოტამიამდე ვრცელდებოდა, მათი დედაქალაქი კი ხათუსა იყო.

ძვ.წ. XIII საუკუნის მეორე ნახევარში ხეთების სამეფო დასუსტდა და მეზობლებმა შევიწროება დაუწყეს. ლევანტში იგი ებრძოდა რამზეს III-ის ეგვიპტეს, ასურეთმა დაამარცხა თავისი ვასალური ქვეყანა მითანი, მას განუწყვეტლად თავს ესხმოდნენ ე.წ ზღვის ხალხები. ძვ.წ. 1180 წელს ხეთების სამეფო დაიშალა რამდენიმე ნეოხეთურ ქალაქ-სახელმწიფოდ, თაბალების (ახლანდელი სამხრეთ-აღმოსავლეთი თურქეთი), მუსხების (ახლანდელი კაპადოკია), ქარხემიშისა (თურქეთისა და სირიის საზღვარზე) და ქამანუს სამეფოებად (სამხრეთი ცენტრალური ანტოლია). ხეთების სამეფოს დაცემამ ანატოლიაში არსებული პოლიტიკური, სამხედრო, ეკონომიკური და სოციალური ცვლილებები გამოიწვია და ადრერკინის ხანის ეკონომიკურ არასტაბილურობას დაუდო საფუძველი.

ბუიუქარდიჩის მთაზე, სადაც ადრერკინის ხანის დასახლება აღმოჩნდა, საკმაოდ მკაცრი პირობები იყო. დიდი სიმაღლის (ზღვის დონიდან 2050 მეტრი) გამო სოფლის მეურნეობა აქ ვერ განვითარდა. იგი მდებარეობდა მთის მწვერვალზე, რომელიც ჩრდილო-აღმოსავლეთი ანატოლიის მნიშვნელოვან სატრანსპორტო არტერიას გადმოჰყურებდა, რასაც დასახლების

These classical-era pieces are part of the collection of the Istanbul Archaeology Museum.

ნტიკური ხანის ჭურჭლის ეს ნატეხები სტამბულის მუზეუმის კოლექციიდანაა.

These cave dwellings, built into "fairy chimneys" near Goreme in Cappadocia in central Turkey, appear to have been occupied in the Late Bronze Age, around the time of the Hittite Empire.

კლდეში ნაკვეთი ეს საცხოვრისები, რომლებიც ცენტრალურ თურქეთში, კაპადოკიაში, გორემეს მახლობლად, მდებარეობს, გვიანბრინჯაოს ხანაში, - ხეთების იმპერიის დროს იყო დასახლებული.

Colak Abdi Pasha, the bey of the then-Bayazit Province, constructed the Ishak Pasha Palace during the late 17th century AD. The location is now known at Agri Province, Turkey, not far from Mount Ararat (Ağrı Dağı).

ბაიაზეთის პროვინციის ბეიმ, აბდილ ფაშამ ისჰაკ ფაშას სასახლე XVII საუკუნის დასასრულს ააგო. იგი თანამედროვე თურქეთში, მთის არარატის მახლობლად მდებარეობს.

Past and Future Heritage in the Pipelines Corridor

The Library of Celsus at Ephesus, Turkey, was completed in 135 AD.

ცელსუსის ბიბლიოთეკის მშენებლობა ეფესოში (თურქეთი) 135 წელს დამთავრდა

The Hagia Sophia was built in Constantinople under the direction of Emperor Justinian during the 6th century AD. It became a mosque after Ottoman Sultan Mehmet II conquered Constantinople. After serving for nearly 500 years as Istanbul's principal mosque, it was converted into a museum in 1935.

აია სოფიას ტაძარი კონსტანტინოპოლში იმპერატორ იუსტინიანეს უშუალო ხელმძღვანელობით VI საუკუნეში აიგო. როდესაც ქალაქი ოტომანებმა აიღეს, სულთან მეჰმედ II–ის ბრძანებით იგი მეჩეთად გადაკეთდა. 500 წლის შემდეგ, 1935 წელს, აქ მუზეუმი გაიხსნა.

This small pot with lid from Yevlakh, located in central Azerbaijan, may have held a grave offering. A cord passed through a hole at the top may have secured the lid.

აზერბაიჯანში, ევლახში, მოპოვებული ჭურჭელი სამარხშია აღმოჩენილი. ჭურჭლის ზედა ნაწილზე დატოვებულ ხვრელში თოკი იყო გატარებული, რითაც ხუფი მაგრდებოდა.

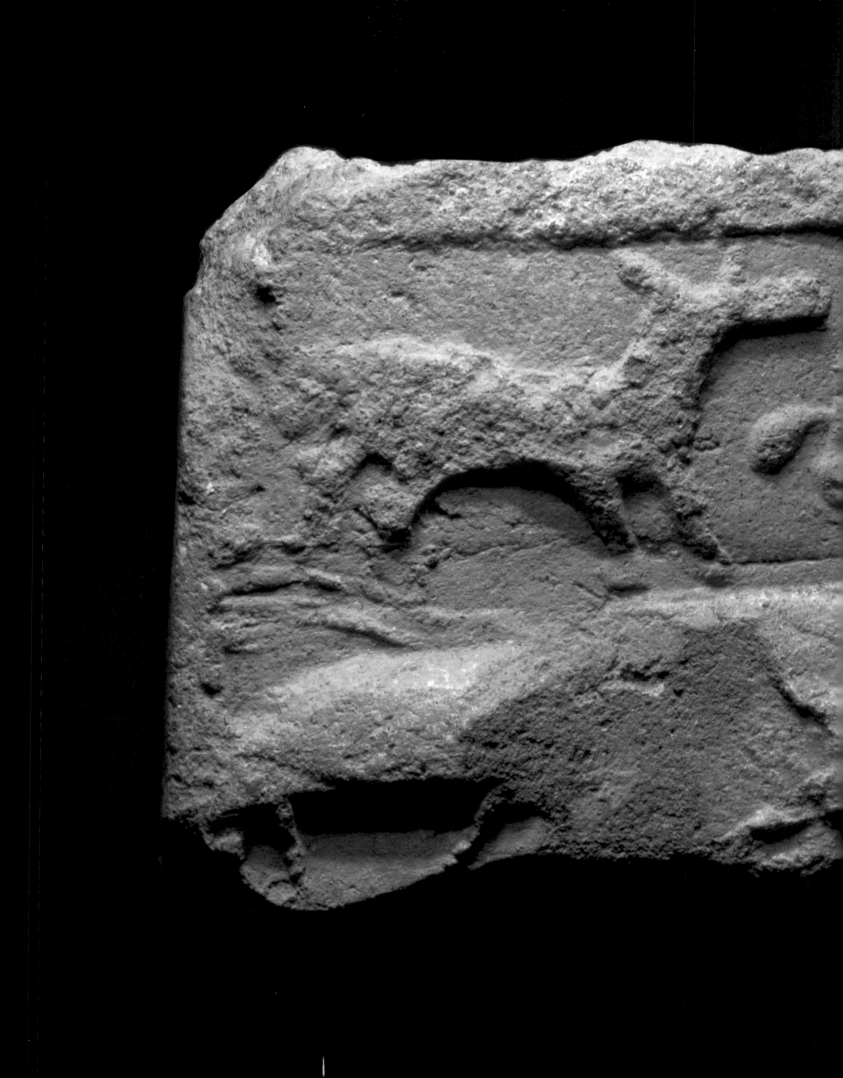

The friezes on this terracotta plaque from the Georgian site of Klde were carved rather than pressed. The style of the animals on both the upper and lower levels is characteristic of Persian reliefs.

საქართველოში, კლდის ნასახლარზე, ნაპოვნ თიხის ფილაზე დატანილი ცხოველების გამოსახულება სპარსულ რელიეფებთან პოულობს პარალელებს.

This iron ring with a carnelian stone was found at Yuceoren in a double-chambered tomb that yielded numerous other finds, including the remains of 22 individuals, of whom 14 were adults and 8 were children.

სარდიონის თვლიანი რკინის ბეჭედი იექერონის ორგანყოფილებიან აკლდამაში აღმოჩენილი. აქ დაკრძალული იყო 22 ადამიანი, რომელთა შორის 14 ზრდასრული, 8 კი ბავშვი იყო.

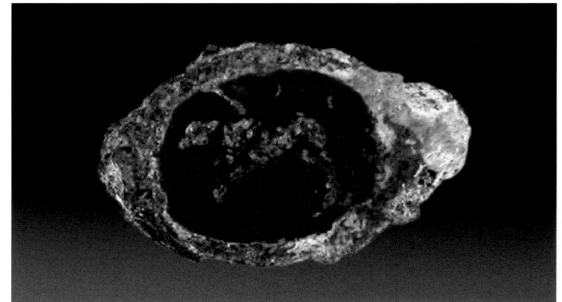

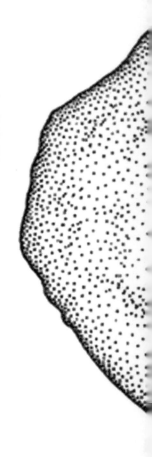

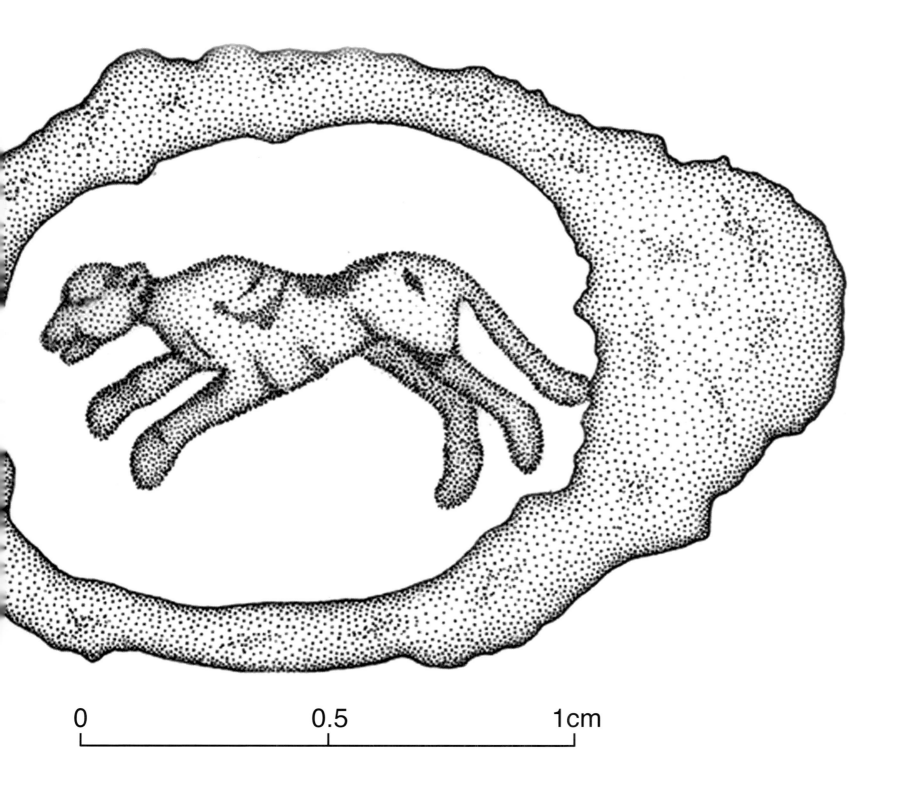

0   0.5   1cm

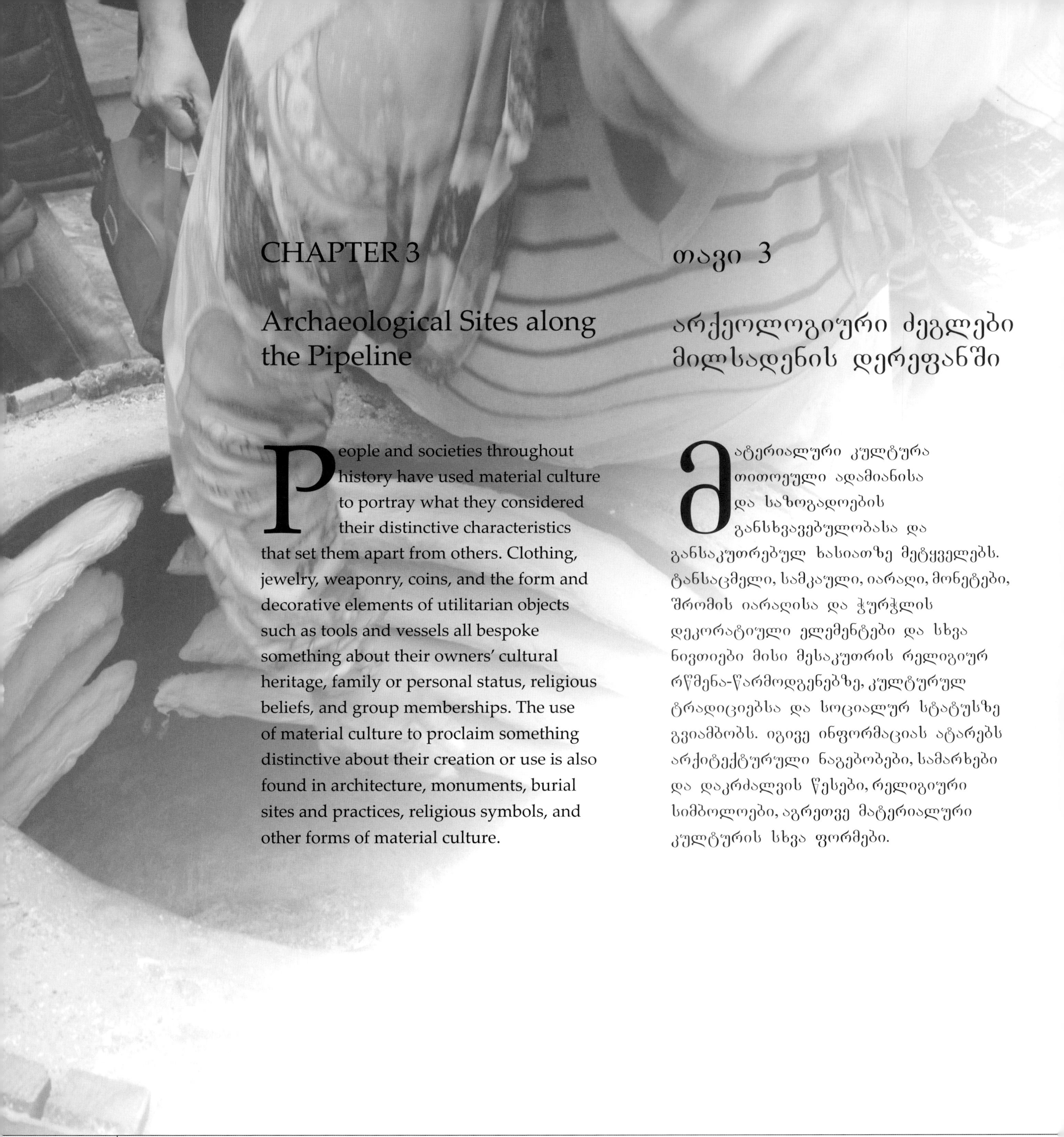

CHAPTER 3

Archaeological Sites along the Pipeline

People and societies throughout history have used material culture to portray what they considered their distinctive characteristics that set them apart from others. Clothing, jewelry, weaponry, coins, and the form and decorative elements of utilitarian objects such as tools and vessels all bespoke something about their owners' cultural heritage, family or personal status, religious beliefs, and group memberships. The use of material culture to proclaim something distinctive about their creation or use is also found in architecture, monuments, burial sites and practices, religious symbols, and other forms of material culture.

თავი 3

არქეოლოგიური ძეგლები მილსადენის დერეფანში

მატერიალური კულტურა თითოეული ადამიანისა და საზოგადოების განსხვავებულობასა და განსაკუთრებულ ხასიათზე მეტყველებს. ტანსაცმელი, სამკაული, იარაღი, მონეტები, შრომის იარაღისა და ჭურჭლის დეკორატიული ელემენტები და სხვა ნივთიები მისი მესაკუთრის რელიგიურ რწმენა-წარმოდგენებზე, კულტურულ ტრადიციებსა და სოციალურ სტატუსზე გვიამბობს. იგივე ინფორმაციას ატარებს არქიტექტურული ნაგებობები, სამარხები და დაკრძალვის წესები, რელიგიური სიმბოლოები, აგრეთვე მატერიალური კულტურის სხვა ფორმები.

The South Caucasus and eastern Anatolian regions have seen much influence from external cultures, often because of trade connections and invasions. Material evidence of diverse cultures lies hidden under the soil until disturbed by later generations. Such was the case with the pipelines project. Excavations of sites discovered during the pipelines construction unearthed many exciting finds that have deepened and enriched understanding of the peoples and societies that created them, as well as raising intriguing questions that only further excavations and research will resolve.

The archaeological sites described in this chapter, each unique in terms of age, function, and finds, are only a small fraction of the hundreds found during the course of the pipeline project. The primary aim in this chapter is to give an account of the material evidence uncovered from them, encourage further study, and foster appreciation of the regional peoples and their environments. The first three sites are located in Azerbaijan, the second three in Georgia, and the final three in Turkey.

საუკუნეების განმავლობაში სამხრეთ კავკასიამ და ანატოლიამ გარესამყაროს კულტურების დიდი გავლენა განიცადა, რაც ვაჭრობას ან შემოსევებს უკავშირდებოდა. სხვადასხვა კულტურების წარსული ხშირად მიწით იფარება და ხელუხლებელი რჩება იქამდე, სანამ მას შემდგომი თაობები არ პოულობენ. ასე იყო მილსადენების მშენებლობის დროსაც, როდესაც არქეოლოგებმა ამ პროექტის მიმდინარეობისას გამოვლენილი არაერთი მნიშვნელოვანი ძეგლი შეისწავლეს. ახალმა აღმოჩენებმა გააღრმავა და გააფართოვა ცოდნა ძველი ადამიანებისა და საზოგადოებების შესახებ, გამოიწვია დიდი ინტერესი და ახალი კითხვები დაბადა, რომლებზედაც მხოლოდ მომავალმა გათხრებმა შეიძლება გასცეს პასუხი.

ამ თავში განხილული არქეოლოგიური ძეგლები ერთმანეთისაგან თავისი ასაკით, დანიშნულებითა და მოპოვებული მასალით განსხვავდება. მილსადენების მშენებლობისას სამივე ქვეყანაში ასეულობით ძეგლი გაითხარა. ქვემოთ აღწერილი აღმოჩენები მათი მცირე ნაწილია. ამ თავის მიზანია გავეცნოთ ამ ძეგლებს, ხელი შევუწყოთ მათს შემდგომ კვლევას და რეგიონის მოსახლეობას გავაცნოთ ისინი. პირველი სამი ძეგლი აზერბაიჯანიდანაა, მომდევნო სამი საქართველოდან, ბოლო სამი კი - თურქეთიდან.

Azerbaijan

Dashbulaq

Dashbulaq is one of a series of Medieval sites found in the Shamkir region in northwest Azerbaijan. Additional sites from the same period are located at the Faxrali village in the Goranboy region and at the Lak and Hajiali villages in the Samukh region, also in the northwest. Ganja was one of the largest cities in the Caucasus during the late Middle Ages, before an earthquake in 1139 killed thousands of people. Shamkir was an important fortress on the Shamkir River and the scene of several battles during the early Middle Ages. These various sites provide examples of distinctive, localized examples of medieval society in the area. The remains of historic bridges on the Zayamchai and Shamkirchai Rivers reflect the engineering of the time. Caravans following the greater Silk Road would likely have crossed these bridges as they passed through this portion of Azerbaijan.

The Dashbulaq site is notable for the number of its archaeological layers, which speak of sequential periods of occupation, destruction, and rebuilding. The village at Dashbulaq was most active between the 9th and 11th centuries AD. Because only a small part of the village site was uncovered excavations took place only where the pipeline route passed directly through the village—it is only possible to speculate about what else might be there. A permanent settlement or town from the period might have contained a bazaar, caravanserai (inn), mosque, and madrasah (school). The excavations at Dashbulaq did, however, reveal numerous features that archaeologists would expect to see in permanent villages and settlements. These features, which also have ethnographic parallels today, include

აზერბაიჯანი

დაშბულაქი

დაშბულაქი აზერბაიჯანში, შამქორის რაიონში, აღმოჩენილი შუა საუკუნეების ერთ-ერთი ძეგლია. ამავე დროისაა ფაქსარლის (გორანბოის რაიონში), ლაკისა და ჰაჯიალის (ორივე სამუხის რაიონში) ნასოფლარები. 1139 წლამდე, როდესაც მიწისძვრამ ათასობით ადამიანი იმსხვერპლა, განჯა კავკასიაში ერთ-ერთი დიდი ქალაქი იყო. შამქორის ციხესიმაგრე მნიშვნელოვანი პუნქტი იყო, რომლის მახლობლად არაერთი ბრძოლა მომხდარა. მდ. ზაიამჩაისა და შამქორზე არსებული ისტორიული ხიდები საინჟინრო ხელოვნების ნიმუშებია. აბრეშუმის გზაზე მიმავალ ქარავნებს მათზე უნდა გადაევლოთ, როდესაც აზერბაიჯანის ამ მონაკვეთს გადიოდნენ. ერთმანეთისაგან განსხვავებული ძეგლები შუა საუკუნეების საზოგადოების განვითარებას ასახავს.

დაშბულაქი მრავალფენიანი არქეოლოგიური ძეგლია და ამ დასახლების სხვადასხვა პერიოდის, ნგრევისა და აღმშენებლობის შესახებ მოგვითხრობს. არქეოლოგიური გათხრები მის მხოლოდ მცირე ნაწილზე, მილსადენის ვიწრო არეალზე ჩატარდა. ამიტომ შეიძლება გამოვთქვათ მხოლოდ ვარაუდი, თუ რა ნაგებობები შეიძლება არსებულიყო მის გარეთ. დასახლებულ პუნქტში, როგორც წესი, უნდა ყოფილიყო ქარვასლა, სასტუმრო, მეჩეთი და მედრესე. დაშბულაქის გათხრებისას გამოვლენილმა მრავალმა ნაგებობამ აქ ნამოსახლარის არსებობა დაადასტურა. მოპოვებულ მასალას დღევანდელობასთანაც აქვს ეთნოგრაფიული პარალელები, მაგალითისათვის გამოდგება ძეგლზე მოპოვებული თონეები, დიდი ქვევრები, სამეურნეო ორმოები, ჭურჭელი (მათ

Tandirs (ovens) such as the two above are a common feature at sites from the Medieval Period. They were constructed from coiled clay and fired in place.

თანდირები (თონეები) შუა საუკუნეების ძეგლებისათვის დამახასიათებელია. ისინი თიხისაგან მზადდებოდა და ადგილზე გამოიწვებოდა.

Zoomorphic images of birds, goats, dogs, and wild animals were stamped into the shoulders of several pots from Dashbulaq.

ჩიტების, თხების, ძაღლებისა და გარეული ცხოველების გამოსახულებები დაშბულაქში აღმოჩენილი ჭურჭლის მხრებზეა დატანილი.

tandirs (clay-formed ovens), massive storage pits, and burial sites. Among the recovered artifacts are typical domestic items such as utilitarian ceramic cooking vessels and finer serving vessels (including a well-preserved stamped pot with an animal motif and glazed pottery in a typical Islamic style). Personal items included fragments of several glass bracelets. The stratigraphy of the material evidence also seems to indicate an initial Christian community followed by a later Islamic one. This transition seems to have occurred at some time in the middle of the 9th century. The pipeline-related excavations found six Christian graves- a relatively small amount of material reflecting this seemingly earlier Christian community at Dashbulaq. However, it is not entirely clear whether these graves belong to the same period.

შორის, კარგად დაცული მოჭიქული ქოთანი, რომელზედაც ისლამური სამყაროსათვის დამახასიათებელი ორნამენტია დატანილი), პირადი მოხმარების ნივთთაგან საყურადღებოა მინის სამაჯურები. ძეგლის სტრატიგრაფია IX საუკუნეში ქრისტიანული საზოგადოების ისლამურით ჩანაცვლებას გვიჩვენებს. მილსადენის ტერიტორიაზე მიკვლეულ ძეგლებზე ქრისტიანული პერიოდის ძეგლების არქეოლოგიური მასალა ბევრად ნაკლები რაოდენობითაა აღმოჩენილი, ვიდრე ისლამური კულტურის მატერიალური ნაშთები.

Zayamchai and Tovuzchai

Multiple graves at Zayamchai and Tovuzchai, two closely related necropoli excavated along the pipeline corridor in Azerbaijan, yielded extensive insights into the burial practices in the Late Bronze Age and Early Iron Age (approximately 1,400-700 BC).

In 2002, archaeologists of the Institute of Archaeology and Ethnography first recorded the Zayamchai necropolis (or "city of the dead"), located on the east banks of the river of the same name, during baseline surveys carried out during Stage 1 of the project. Subsequent excavations conducted in 2003 uncovered over 130 graves that yielded hundreds of intact pottery vessels, many unique bronze artifacts (including daggers, javelin points, and various decorative pieces), and other ritual objects. The findings indicate that advanced Late Bronze Age (Xojali-Gedabey) cultures were present in the Kura Valley at the end of the second millennium BC. The variety and skilled workmanship reflect a highly coherent, structured local society.

ზაიამჩაი და თოვუზჩაი

ზაიამჩაისა და თოვუზჩაის ერთმანეთთან ახლომდებარე გვიანბრინჯაო-ადრერკინის ხანის (ძვ.წ. 1,400-700) სამაროვნებზე გამოვლენდა არაერთი სამარხი, რამაც ამ პერიოდის დაკრძალვის წესების შესახებ საინტერესო მასალა მოგვცა.

ბაქოს არქეოლოგიისა და ეთნოგრაფიის ინსტიტუტის არქეოლოგებმა ჯერ ზაიამჩაის სამაროვანი ("მიცვალებულთა ქალაქი") შეისწავლეს. იგი ამავე დასახელების მდინარის ნაპირზე მდებარეობს და არქეოლოგიური პროგრამის I, საბაზო კვლევების ეტაპზე გაითხარა. გათხრები 2002 წელს მიმდინარეობდა. 130 სამარხში ასეულობით დაუზიანებელი თიხის ჭურჭელი, ბრინჯაოს სატევრები, შუბისპირები, სამკაული და სხვა სარიტუალო ნივთი აღმოჩნდა. სამაროვნის გათხრებისას მოპოვებული მასალა გვიჩვენებს, რომ განვითარებული გვიანბრინჯაოს ხანის ხოჯალი-გედაბეის კულტურა ძვ.წ. მეორე ათასწლეულის დასასრულს მტკვრის ხეობაშიც ვრცელდებოდა. მასალის მრავალფეროვნება და დახვეწილობა კარგად განვითარებულ საზოგადოებაზე მიგვანიშნებს.

Archaeologists will be working for years to come to interpret the markings scratched on the bottom of this pot before it was fired.

ამ ჭურჭლის ძირზე გამოსახული ნიშნების გასაშიფრად არქეოლოგებს ალბათ წლები დასჭირდებათ.

This distinctive three-legged shallow footed vessel is decorated across its top and bottom.

ეს განსაკუთრებული სამფეხა ჭურჭელი მთლიანადაა ორნამენტირებული.

The project's planning team rerouted the pipelines in this area to avoid impacting two other significant cultural heritage sites located nearby. One was a large and complex settlement that seems to date from the Late Bronze Age, and the second was a historic bridge crossing the Zayamchai that likely dates from the Middle Ages.

The Tovuzchai necropolis, uncovered on the west bank of the river of the same name, was similar to the necropolis at Zayamchai. The 80-plus graves excavated at this site during 2004 and 2005 similarly revealed a rich burial culture. Particularly noteworthy were the complete pots with the remains of the deceased; in some cases over 20 complete pots had been buried at the same time. Other items from the graves included bronze daggers and arrowheads, bronze bosses (a circular bulge or knoblike form protruding from a surrounding flatter area), and hundreds of beads made from carnelian, agate, and glass paste. The internments at the sites seem to have taken place over several hundred years without notable interruption.

მილსადენის დაპროექტებისას დაცვის მიზნით ორ ძეგლს აუარეს გვერდი. ერთი უნდა იყოს გვიანბრინჯაოს ხანის დიდი ნასახლარი, მეორე კი შუა საუკუნეების ხიდია, რომელიც მდ. ზაიამჩაიზეა გადებული.

თოვუზჩაის სამაროვანი, რომელიც ამავე დასახელების მდინარის ნაპირასაა, ზაიამჩაის სამაროვნის მსგავსია. 2004-2005 წლებში გათხრილმა 80-ზე მეტმა სამარხმა მდიდარი მასალა მოგვცა. აღსანიშნავია, კარგად შენახული, მიცვალებულების ნაშთების შემცველი, თიხის ჭურჭელი. ზოგან თითო სამარხში 20 ასეთი ჭურჭელია დაცული. სამარხეული მასალა წარმოდგენილია სატევრებითა და ისრის პირებით, სარდიონის აქატისა და მინისებური პასტის ასეულობით მძივით. სამაროვანს, როგორც ჩანს, რამდენიმე ასეული წლის განმავლობაში უწყვეტად იყენებდნენ.

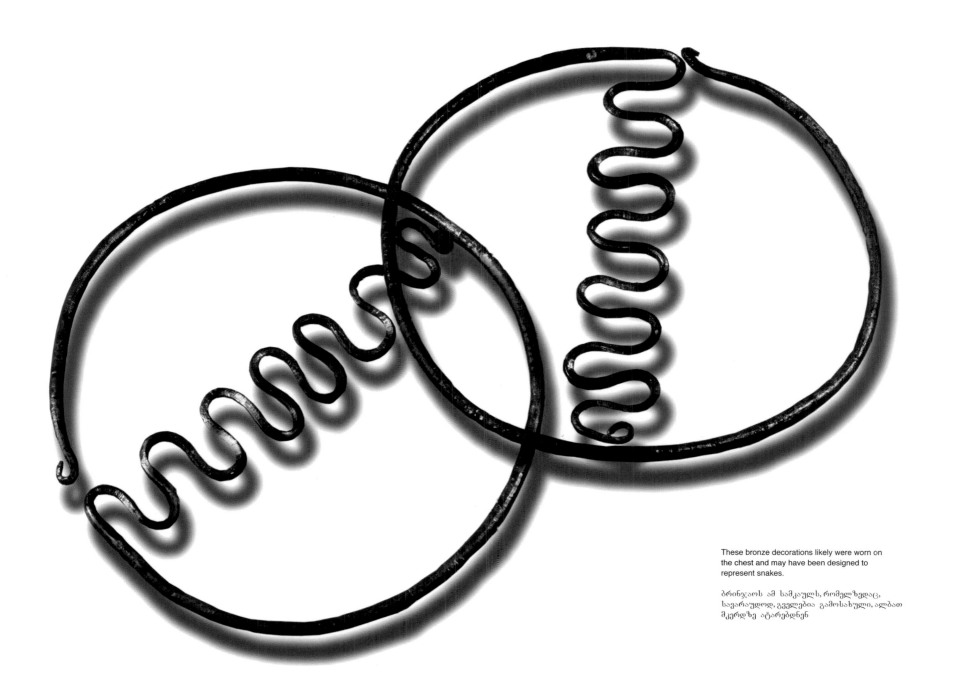

These bronze decorations likely were worn on the chest and may have been designed to represent snakes.

ბრინჯაოს ამ სამკაულს, რომელზედაც, სავარაუდოდ, გველებია გამოსახული, ალბათ მკერდზე ატარებდნენ

The Tovuzchai graves were of two general types: shallow ones covered by rounded river stones, and deeper earthen ones. There is no clear pattern with respect to grave depth and composition of the items placed in them; some burial chambers were large but modestly furnished, while others were small but filled with rich arrays of burial items. In some, the skeletal remains were disarticulated; in others, the individuals were buried with animals. The head of the skeleton in one grave rested on a number of polished and painted ceramic plates and pots. This arrangement may reflect specific spiritual or religious beliefs. A bronze bracelet, bronze earring, and seashell and agate beads were found on or near the skeleton.

Several large storage vessels found in the nearby village may have been part of the same complex as Tovuzchai necropolis. Archaeological material recovered from the Tovuzchai necropolis indicates that a settlement had existed near this site for six or seven centuries.

თოვუზჩაის სამაროვანზე სამარხების ორი ტიპი გამოიყოფა. პირველი ღრმა არ არის და რიყის ქვითაა შემოსაზღვრული, მეორე კი ღრმა ორმოსამარხებია. მათ შორის სოციალური განსხვავება არ ჩანს, რადგან ზოგიერთ დიდ სამარხში არ იყო ბევრი მასალა, ხოლო რამდენიმე მომცრო ზომის სამარხში მდიდრული ინვენტარია. ზოგიერთ სამარხში ჩონჩხები დანაწევრებულია, სხვაგან კი ცხოველები ადამიანებთან ერთად დაუმარხავთ. ერთ სამარხში მიცვალებულს თავი რამდენიმე მოხატულსა და ნაპრიალებ ჭურჭელზე ედო. ეს წესი, როგორც ჩანს, რელიგიურ წარმოდგენებს ასახავს. აქ აღმოჩნდა ბრინჯაოს სამაჯური, ზღვის ნიჟარა და აქატის მძივები.

მიუხედავად იმისა, რომ გათხრებისას ნამოსახლარი არ აღმოჩენილა, უნდა ვივარაუდოთ, რომ იგი ახლოს მდებარეობდა. ამ ნამოსახლარის ნაწილი უნდა იყოს ძეგლის მახლობლად, ერთი კილომეტრის მანძილზე აღმოჩენილი დიდი ქვევრები. თოვუზჩაის სამაროვნის მასალა გვიჩვენებს, რომ დასახლებას 6-7 საუკუნის განმავლობაში უნდა ეარსება.

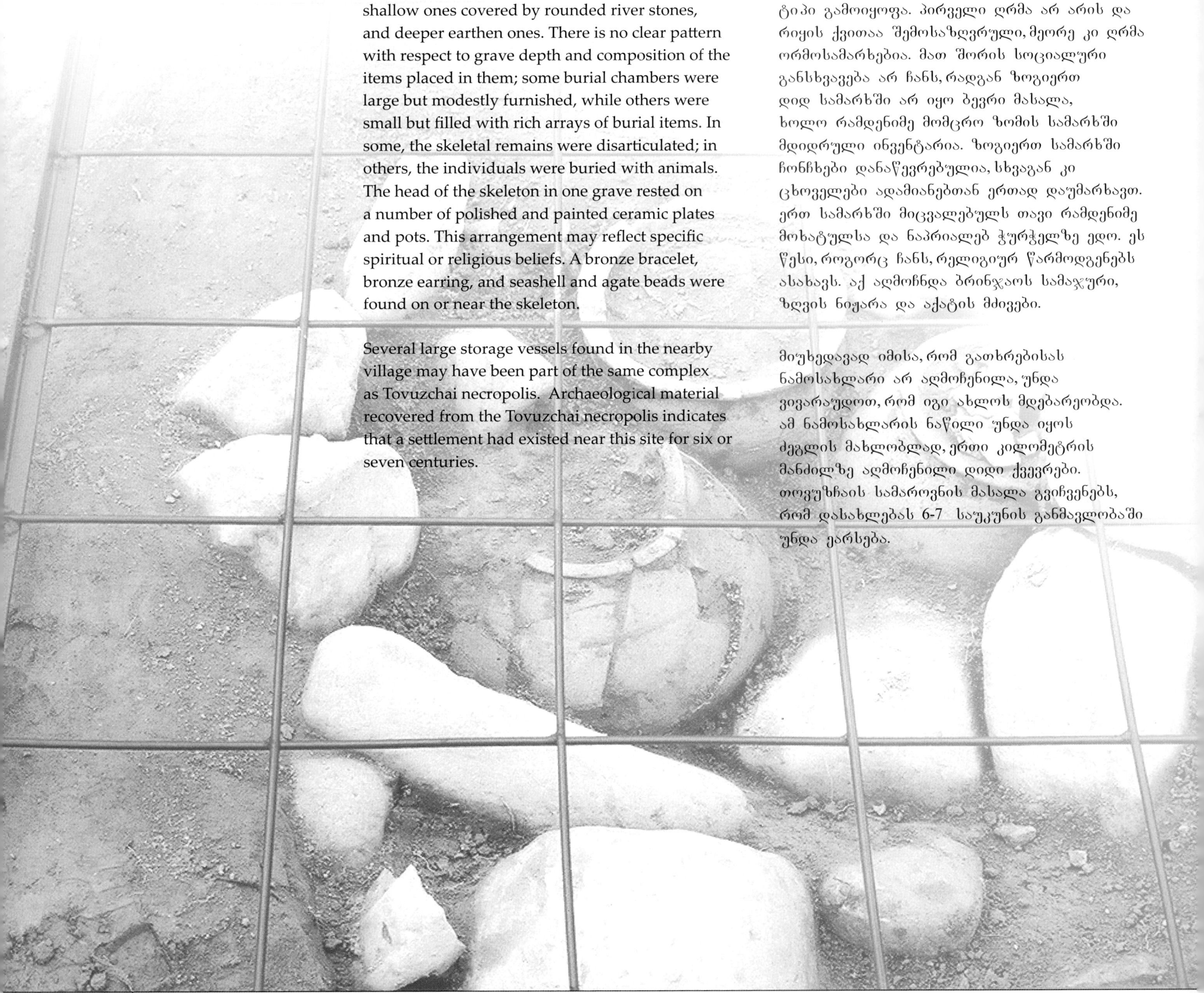

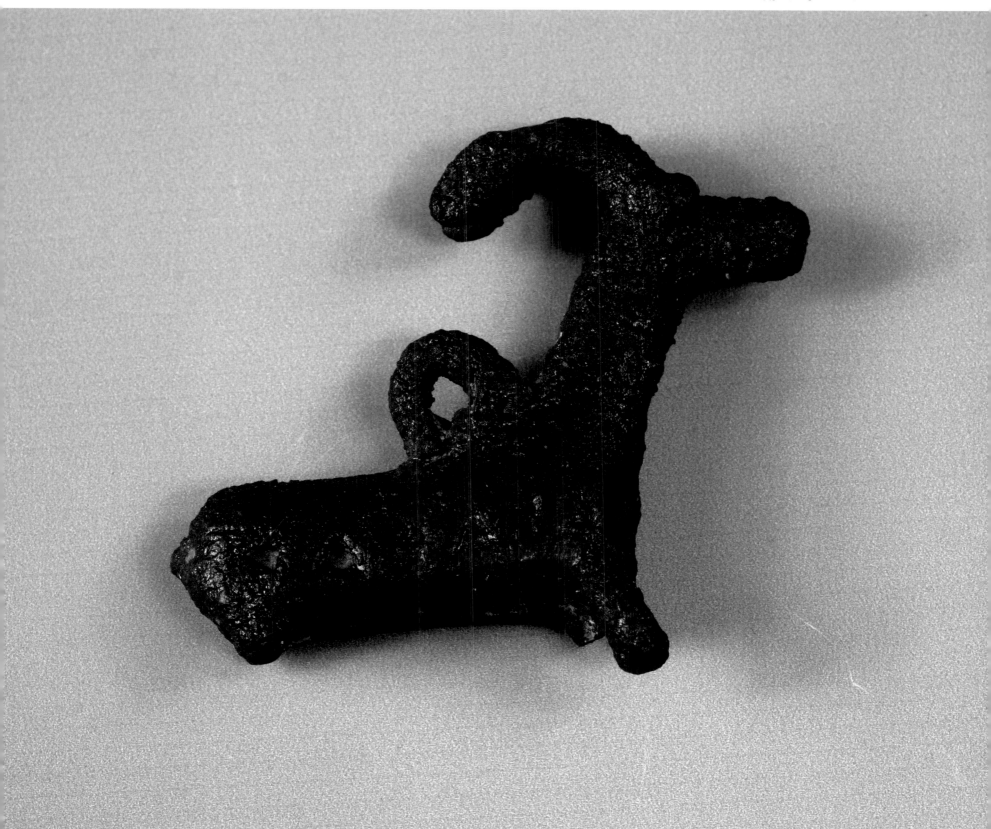

Bronze adornment, found at Zayamchai that dates
to the Bronze age. 5cm x 5.5cm.

ზაიამჩაის სამაროვანზე აღმოჩენილი ეს
ბრინჯაოს სამკაული ბრინჯაოს ხანით
თარიღდება (ზომები 5X5,5სმ).

The head of the deceased in this grave was positioned on top of several ceramic serving and storage vessels, in the Tovuzchai necropolis. Carnelian beads were found below the jaw.

თოვუზჩაის სამაროვნის ამ სამარხში მიცვალებულს თავი რამდენიმე ჭურჭელზე ედო. ყბის ქვეშ აღმოჩნდა სარდიონის მძივები.

This highly decorated vessel found from the Zayamchai necropolis was a churn and used to produce butter from milk. Similar vessels are still used in parts of Azerbaijan today to produce homemade butter.

ეს ორნამენტირებილი ჭურჭელი ზაიამჩაის სამაროვნიდან სადღვებელი იყო და მას კარაქის მისაღებად ხმარობდნენ. ასეთივე ჭურჭელს იყენებენ თამნამედროვე აზერბაიჯანში შინაური კარაქის ასადღვებად.

This photograph demonstrates the upright positioning and semi-symmetrical arrangement of the pottery vessels uncovered.

ეს ფოტო გვიჩვენებს, თუ როგორ იყო გამწკრივებული თიხის ჭურჭელი ჰასანსუს ყორღანის დასაკრძალავი კამერის კედლებთან.

The Hasansu Kurgan

The remains of a kurgan found near Hasansu in western Azerbaijan reflect Middle Bronze Age cultures in the region. The kurgan is similar to those of the Tazakand and Trialeti cultures that spanned Azerbaijan and Georgia from approximately 2,200 to 1,700 BC. It is notable for the fascinating orientation of 71 pottery vessels, adjacent to a deceased juvenile, arranged in distinct parallel lines along two walls inside an excavated kurgan. The shoulders of many of the pots were decorated with etched bands of chevrons and other formal designs. A scattering of domestic animal bones may be from food provided for the deceased in the afterlife. Skulls and leg bones of bulls had been placed in two corners of the burial chamber, a deliberate arrangement

ჰასანსუს ყორღანი

დასავლეთ აზერბაიჯანში, ჰასანსუს მახლობლად, აღმოჩენილი ყორღანი შუაბრინჯაოს ხანით თარიღდება. იგი ტაზაკენდისა და თრიალეთის კულტურების (აზერბაიჯანისა და საქართველოს შუაბრინჯაოს ხანის კულტურები, 2700-1700 ძვ. წწ.) ნიმუშია. საყურადღებოა აქ მოპოვებული თიხის 71 ჭურჭელი, რომლებიც ყორღანის კედლების პარალელურადაა ჩამწკრივებული. მათი ნაწილი შევრონებითა და სხვა ორნამენტითაა შემკული. აქ აღმოჩენილი შინაური ცხოველების ძვლები მიცვალებულს იმ ქვეყანაში უნდა გამოდგომოდა. ხარის თავ-ფეხი დასაკრძალავი კამერის ოთხივე კუთხეში იდო, რასაც, სავარაუდოდ, ხარებშებმული ურმის შთაბეჭდილება უნდა შეექმნა. აქვეა

Seventy-one ceramic vessels from the Hansansu kurgan highlight the technical skill of potters during the Middle Bronze Age in the South Caucasus. Some of the vessels may have been manufactured specifically for use in this burial.

ჰასანსუს ყორღანში მოპოვებული თიხის 71 ჭურჭელი შუაბრინჯაოს ხანის კავკასიელი მეთუნეების მაღალ ოსტატობაზე მიგვითითებს. ზოგიერთი ჭურჭელი ამ სამარხისათვის უნდა დამზადებულიყო.

perhaps intended to represent a bull-drawn chariot or cart. Other finds included bronze pins, baskets, and perforated beads. Several kurgans excavated at Hasansu are similar to others discovered in the 1980s in the Shamkir region of western Azerbaijan.

The discovery of this kurgan in the AGT Pipelines corridor illustrates the burial practices of the Middle Bronze Age, which had previously been poorly documented in this area. Some archaeologists view the introduction of burials in the style of Hansansu to this region as evidence of foreign populations moving into the region, or of an internal evolution in burial practices.

მოპოვებული ბრინჯაოს საკინძები და მძივები. ჰასანსუში გათხრილი რამდენიმე ყორღანი დასავლეთ აზერბაიჯანში, შამქორის რაიონში 1980 წელს აღმოჩენილი ყორღანების მსგავსია

მკვლევართა ერთი ნაწილის აზრით, ასეთი ყორღანები რეგიონში უცხოტომელთა შემოსვლაზე, ან დაკრძალვის წესის ადგილობრივ განვითარებაზე მიგვითითებს.

Rows of pottery vessels lined both sides of the burial chamber in the Hasansu kurgan. The excavators speculate that the pattern seen in the center of the chamber might have been a symbolic representation of a cart pulled by oxen or bulls.

ეს ფოტო გვიჩვენებს, თუ როგორ იყო გამწკრივებული თიხის ჭურჭელი ჰასანსუს ყორღანის დასაკრძალავი კამერის კედლებთან. ძეგლის გამთხრელები ვარაუდობენ, რომ აქ აღმოჩენილი ხარის თავი ხარებშებმული ურმის სიმბოლო იყო.

The triangular bronze blade of this Near Eastern type of dagger, found at the Saphar-Kharaba site, has low ridges along both sides and is set with fluted frame lines. Both sides of the shaft had residue from wood plates. This type of dagger was common in the Transcaucasus in the 15th-14th centuries BC.

საფარ-ხარაბაში აღმოჩენილი ეს სამკუთხაპირიანი სატევარი ახლოაღმოსავლური ტიპისაა. ტარის ორივე მხარეზე ხის კვალია შემორჩენილი. ასეთი სატევრები კავკასიაში ძვ.წ. XV-XVII საუკუნეებში გვხვდება.

Georgia

Saphar-Kharaba

Archaeologists found more than 100 burial chambers encircled by basalt at the Saphar-Kharaba necropolis in the historic region of Trialeti (Tsalka District) of southern Georgia. Analysis suggests that the site was used in the 15th-mid-14th centuries BC. With only a few exceptions, the rectangular graves were uniform. Each contained skeletons in crouched positions oriented north to south, a pattern that indicates well-established funerary practices. The graves also contained several distinctive artifacts. For example, a cylindrical seal depicting a figure kneeling at an altar with a rod in its hand is a common motif of the Mittani or Hurrian art that was widespread in the Levant and Mesopotamia. Other objects include bronze daggers and surgical scalpels of a type not common elsewhere in the Caucasus.

One of the graves contained a poorly preserved wooden cart with the remains of an axle, wheel, and yoke. Two clay vessels were positioned on what remained of the cart's bed. Under these vessels, human remains were found.

საქართველო

საფარ-ხარაბა

თრიალეთში, საფარ-ხარაბას სამაროვანზე, არქეოლოგებმა 100-ზე მეტი სამარხი შეისწავლეს. ძეგლი ძვ.წ. XV საუკუნითა და XVI საუკუნის შუახანებით თარიღდება. სამარხები, მცირე გამონაკლისის გარდა, ოთხკუთხა ფორმისა იყო. ადამიანები იმდროინდელი დაკრძალვის წესის მიხედვით იწვნენ გვერდზე, ხელფეხმოკეცილად, ჩრდილოეთ–სამხრეთის ღერძზე. სამარხებში მნიშვნელოვანი არტეფაქტები აღმოჩნდა. აღსანიშნავია ცილინდრული საბეჭდავი, რომელზედაც საკურთხევლის წინ დაჩოქილი ადამიანია გამოსახული. ეს ნივთი ახლო პარალელებს პოულობს მითანურ, აგრეთვე ლევანტურსა და მესოპოტამიურ ხელოვნებასთან. სამაროვანზე გვხვდება როგორც ადგილობრივი წარმოშობის, ისე შემოტანილი ნივთებიც.

ერთ სამარხში აღმოჩენილია ცუდად შემორჩენილი ურმის ულლისა და ღერძ-ბორბლის ნაწილები. მასზე თიხის ორი ჭურჭელი იდო. ჭურჭლის ქვეშ ადამიანის ძვლები აღმოჩნდა.

Unfortunately, archaeologists did not discover this grave until after the pipeline construction had disturbed much of the contents, making it difficult to reconstruct this particular burial.

A skeleton of a man believed to have been 40-50-years-old has particular significance because samples of fabric were attached to it that provided clues to the type of fabrics produced in Georgia during this period. The samples were linen, cotton, and wool dyed with pigments that at the time could only have been extracted from mollusks along the Mediterranean coast. Because the raw dye was highly perishable, these textiles must have been produced and dyed near the Mediterranean before they were imported into the Caucasus. This suggests connections between the South Caucasus and surrounding regions, and perhaps the presence of early trade networks.

სამწუხაროდ, სამარხი მხოლოდ სამშენებლო სამუშაოებისას, მისი დაზიანების შემდეგ გამოვლინდა, რამაც მისი მთლიანი რეკონსტრუქცია გააძნელა.

სამარხში დაკრძალული მამაკაცი 40-50 წლისა უნდა ყოფილიყო. სამაროვნის მასალა მნიშვნელოვანია იმითაც, რომ აქ აღმოჩენილი სელის, ბამბისა და შალის ქსოვილების შესაღებავად უნდა გამოეყენებინათ პიგმენტები, რომლებიც ხმელთაშუა ზღვის მოლუსკებისაგან მზადდებოდა. საღებავი ადვილად ფუჭდებოდა და მისი ტრანსპორტირება გაძნელებული იქნებოდა, ამიტომ, სავარაუდოა, რომ ქსოვილები ხმელთაშუა ზღვისპირეთიდანაა შემოტანილი, რაც სამხრეთ კავკასიასა და გარე სამყაროს შორის არსებულ სავაჭრო ურთიერთობებზე მეტყველებს.

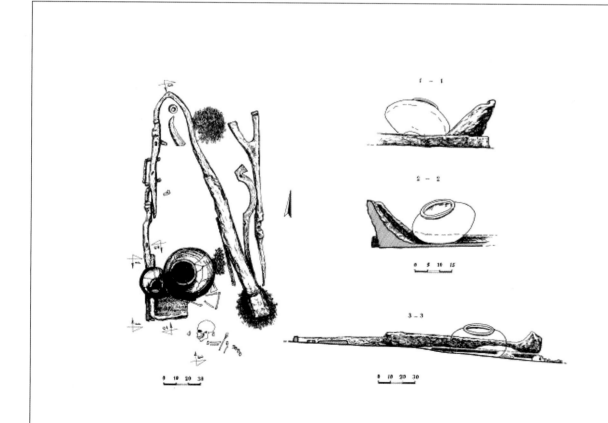

This sketch illustrates the remains of an ox-drawn cart, measuring 2.1 meters long and 1.1 meters at the widest point, found in one grave. The cart's triangular shape was common during the later Bronze Age. At least two ceramic vessels were placed on or with the cart.

ამ გრაფიკულ ტაბულაზე სამარხში აღმოჩენილი 2,1 მეტრის სიგრძისა და 1,1 მეტრის სიგანის ეტლის ნახატია. ასეთი ეტლები გვიანბრინჯაოს ხანისათვისაა დამახასიათებელი. ეტლზე, სავარაუდოდ, ორი ჭურჭელი იდო.

This sketch shows the configuration of a typical burial, which generally contained several clay vessels placed behind the head of the deceased and weapons placed in front. Bronze pins were frequently found near the neck, beads and pendants in the chest area, and cornelian beads on the wrists and feet.

ამ გრაფიკულ ტაბულაზე ტიპური სამარხია გამოსახული. იგი შეიცავს მიცვალებულის თავთან დაწყობილ თიხის რამდენიმე ჭურჭელსა და ბრინჯაოს იარაღს. საკინძები, მძივები და საკიდები მიცვალებულის გულ-მკერდისა და ხელების არეში აღმოჩენილი.

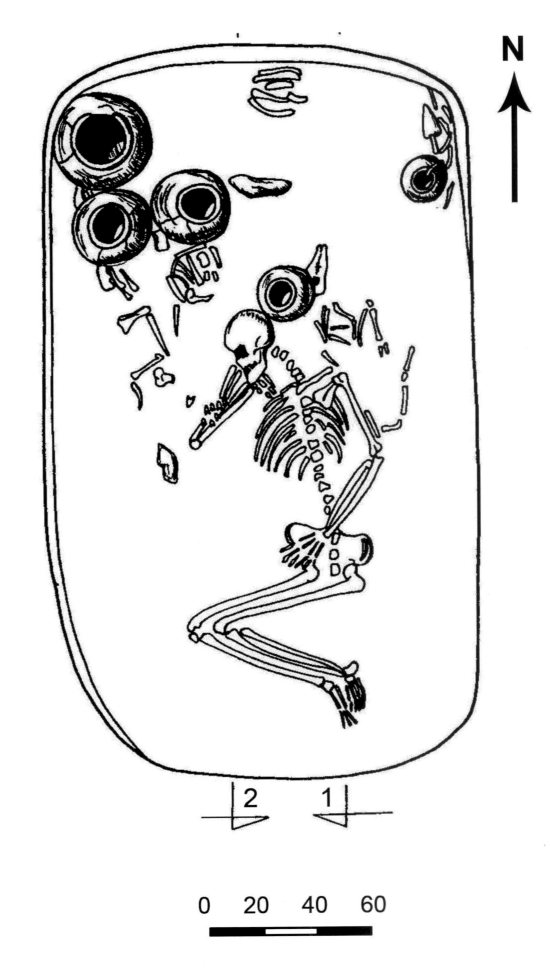

N
2
1
0 20 40 60

This cylindrical seal, believed to have originated in the Hurrian Kingdom of Mittani in northern Mesopotamia, depicts a man kneeling and possibly holding a staff and a goat. Seals such as this were common in Mesopotamia and were sometimes used to officially mark clay records.

ეს ცილინდრული საბეჭდავი მითანური (ჩრდილო მესოპოტამია) წარმოშობისა უნდა იყოს. მასზე გამოსახულია საკურთხევლის წინ მუხლმოდრეკილი ადამიანი, რომელსაც კვერთხი უჭირავს. ასეთი საბეჭდავები მესოპოტამიაშიაც გვხვდება.

Klde

The Klde settlement is situated on a terraced slope at the confluence of the Mtkvari and Potskhovai Rivers near the Turkish border in southwestern Georgia, along a major trade route that once linked the South Caucasus and eastern Anatolia. The site, encompassing a large multi-layer settlement and a cemetery, extends over 3,486 square meters and includes structures, graves, and storage pits. The excavations yielded excellent and extensive cultural material from the first millennium AD. The settlement appears to have been destroyed by fire and rebuilt several times. The last fire in the 7th century AD, possibly during the campaign of Byzantine Emperor Flavius Heraclius or during an Arab invasion, led to the abandonment of the site. The structures excavated during the pipeline project appear to have been domestic and were constructed from stone with tile roofs. All the dwellings possessed hearths for cooking, generally located either in the center or corner of the structure. The settlement's layout leads archaeologists to believe that the structures also had a defensive purpose. Several stone sling bullets of different shapes and sizes may have been a means of defense against attackers.

კლდე

არქეოლოგიური ძეგლი, რომელიც კლდის ნამოსახლარის სახელითაა ცნობილი, მდებარეობს სამხრეთ-დასავლეთ საქართველოში, ისტორიულ პროვინცია სამცხეში, თურქეთის საზღვრის მახლობლად, მდინარეების - მტკვრისა და ფოცხოვის შესართავთან, სამხრეთ კავკასიისა და ანატოლიის დამაკავშირებელი გზის პირას. არქეოლოგიური ძეგლი, რომელიც მოიცავს მრავალფენიან სამაროვანსა და ნამოსახლარს, 3486 $მ^2$-ის ფართობზეა გავრცელებული. აქ წარმოდგენილია ნაგებობები, სამარხები და სამეურნეო ორმოები. გათხრებმა ახ.წ. I ათასწლეულის საინტერესო და მნიშვნელოვანი მასალა მოგვცა. დასახლება, როგორც ჩანს, რამდენჯერმე გაანადგურა ხანძარმა. უკანასკნელი ხანძარი VII საუკუნეში მომხდარა, სავარაუდოდ, ბიზანტიის იმპერატორ ჰერაკლეს ან არაბთა შემოსევისას, რის შემდეგაც დასახლება გაუკაცრიელდა. აქ აღმოჩენილი ნაგებობები სახლებია. ისინი ქვითაა აშენებული, ზოგიერთი მათგანი კი კრამიტით იყო გადახურული. ყველა სახლში, ოთახის ცენტრში ან კედელთან გამართული იყო კერა. არქეოლოგთა აზრით, ზოგიერთ ნაგებობას თავდაცვითი ფუნქცია ჰქონდა. ძეგლზე აღმოჩენილი, სხვადასხვა ზომის ქვის ჭურვები, შესაძლოა, თავდაცვითი ფუნქციისათვისაც გამოიყენებოდა.

The clothing worn by the figure on this small altar found at the Klde site exhibits Parthian influences, including long sleeves and a wide knee-length skirt. The raised right hand suggests a gesture of adoration to gods and kings commonly found on Parthian rock reliefs.

კლდეში აღმოჩენილ თიხის პატარა საკურთხეველზე გამოსახულ ფიგურას გრძელსახელოებიანი, მუხლებამდე დაშვებული პართული სამოსი მოსავს. მისი ზეაპყრობილი ხელი კი ღმერთებისა და მეფეების განდიდების პართულ სცენებს წააგავს.

Interment at some of the burial sites at Klde, which were concentrated in three separate areas, occurred in stone-lined pit graves, some of them edged with stone, while others were in wine jars. Many of the skeletons were lying on their backs, but others were on their sides in crouched positions. These differences mean the burials took place in at least three cultural periods and may reflect broad religious and other cultural changes over time. Indeed, in the region under the Kartli (Iberia) Kingdom, differences between pre-Christian and Christian funerary cultures shed light on the shift to Christianity, with some graves manifesting both Christian and pre-Christian funerary traditions.

A particularly interesting find at the Klde site, dating to the 3rd-4th centuries AD, is a platform that contained 15 ritual vessels along with human bones. However, a clay altar in a corner suggests that the site was a place of cult worship rather than a burial site. The altar bears both Roman and Persian reliefs. The right hand of one figure is raised in a way similar to a gesture of adoration of kings and gods found in the Parthian artistic tradition. Burned areas on the altar, along with the decorative motifs, suggest traditions associated with Zoroastrian altars.

კლდეში აღმოჩენილი სამარხები სამ უბანზეა გადანაწილებული. გვხვდება ქვასამარხები, ორმოსამარხები და ქვევრსამარხები. ზოგიერთი მიცვალებული ზურგზე იყო დაკრძალული, სხვები — გვერდზე, ხელფეხმოკეცილად. დაკრძალვის რიტუალში არსებული განსხვავებები, შესაძლოა, ამ დროის განმავლობაში მიმდინარე დიდ ცვლილებებს დავუკავშიროთ. სამცხე ქართლის სამეფოს ნაწილი იყო და აქაც კარგადაა ასახული ქრისტიანობამდელი და ქრისტიანული ხანის დაკრძალვის რიტუალის თავისებურებები. საინტერესოა ის სამარხები, სადაც დაკრძალვის ორივე წესია დადასტურებული.

ძალზე საყურადღებოა არქეოლოგიურ ძეგლზე აღმოჩენილი III-IV საუკუნეების მოედანი, რომელზეც 15 რიტუალური ჭურჭელია დაფიქსირებული. აქ მიკვლეული მცირე ზომის თიხის საკურთხეველი რომაულსა და პართულ გავლენას ატარებს. მასზე გამოსახულ ერთ ფიგურას პართული ხელოვნებისათვის დამახასიათებელი ნიშნები აქვს. მისი დეკორი ზოროასტრულ საკურთხევლებზე გამოსახული შემკულობის მსგავსია.

This bronze deer amulet reflects the relationship of Late Classical and Early Christian Georgian society with the natural world.

ბრინჯაოს ეს საკიდი, რომელიც ირმის გამოსახულებას წარმოადგენს, გვიანანტიკური და ადრექრისტიანული საზოგადოების ბუნებასთან დამოკიდებულებას ასახავს.

The site contained other interesting artifacts, such as a Roman lamp and a Parthian silver drachma (coin) of King Gotarzes I. The latter suggests that the Kartli (Iberian) Kingdom was actively involved in Roman-Parthian political and economic relationships connected with the Silk Road. A small fragment of red terracotta with animal figures—some standing, others in flight—was among the finds at this site. Finally, three glass intaglios (made of glass or jewels, with carved decorations) probably date to the second half of the 1st century AD, judging by their shapes and styles. All were similar, suggesting they may have been produced in the same workshop.

ძეგლზე აღმოჩენილია არაერთი მნიშვნელოვანი და საინტერესო ნივთი — მაგალითად, რომაული ჭრაქი და ვერცხლის პართული მონეტა (გოტარზეს დრაქმა). ამ მონაპოვრებიდან კარგად ჩანს, რომ ქართლის სამეფო აბრეშუმის გზასთან დაკავშირებულ, რომაულ-პართულ პოლიტიკურსა და ეკონომიკურ ურთიერთობებში იყო ჩართული. საინტერესოა ტერაკოტის, წითელი ფილის ფრაგმენტი, რომელზედაც ცხოველებია გამოსახული. მინის სამი ინტალიო (ქვის ან მინის თვალზე ამოკვეთილი გამოსახულება), სტილის მიხედვით, სავარაუდოდ, ალბათ, ერთ სახელოსნოშია დამზადებული.

This ring set with a carnelian stone illustrates the continued use of carnelian for personal decoration, a practice that extended from the Bronze Age into the Middle Ages. Of 11 rings found at the Klde burial site, two are Sassanian, eight are Roman, and one bears Christian symbols.

სარდიონს სამკაულად ბრინჯაოს ხანიდან იყენებდნენ. კლდეს სამაროვანზე აღმოჩენილია სარდიონის თვლიანი 11 ბეჭედი; მათგან ორი სასანურია, რვა - რომაული, ერთზე კი ქრისტიანული სიმბოლოებია გამოსახული.

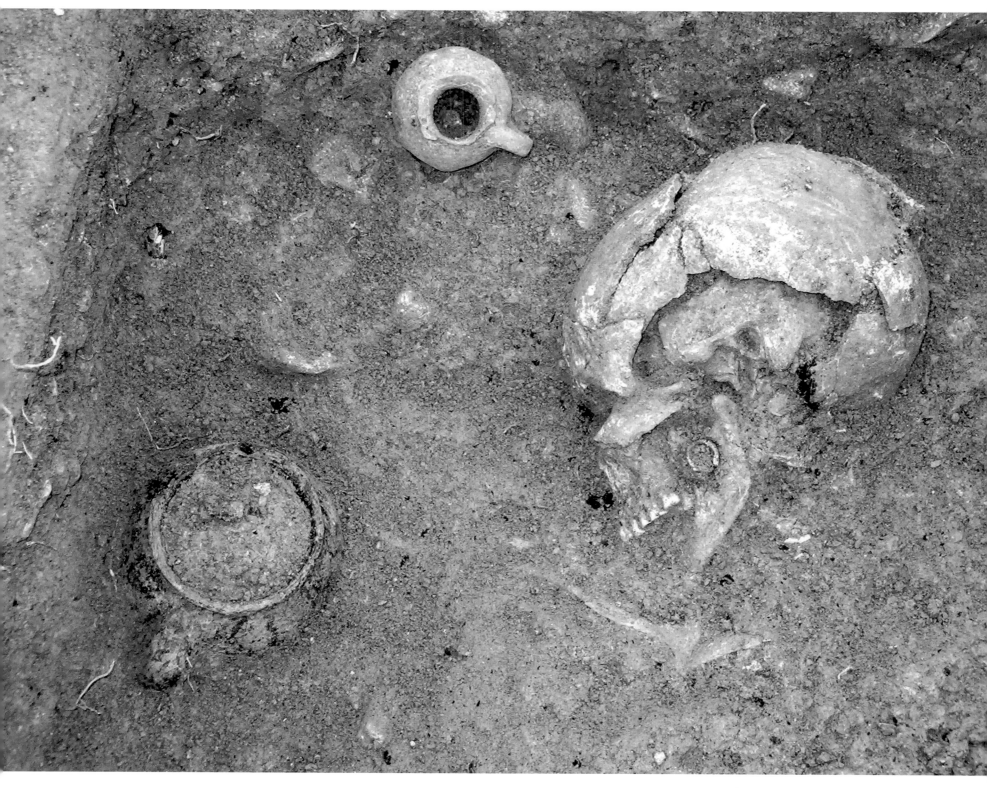

Excavations of this grave at the Klde site revealed a pair of ceramic vessels and simple bronze hoop earring. Burials from the site are associated with both pre-Christian and early Christian societies.

კლდეში გათხრილი ამ სამარხში თიხის ორი ჭურჭელი და ბრინჯაოს რგოლია მოპოვებული. არქეოლოგიურ ძეგლზე აღმოჩენილი სამარხების ნაწილი ქრისტიანულია, ნაწილი – წარმართული.

Orchosani

The archaeological site near the Orchosani village, located in the Akhaltsikhe region of southern Georgia (historically referred to as Samtskhe), is an excellent example of one of Georgia's longest continuously inhabited sites. It seems to have been in use since the Lower Palaeolithic Auchelian period. Surface finds include tools made of andesite and basalt (hand axes, scrapers and flakes). Its history spans from at least the Early Bronze Age (perhaps as early as the 4th millennium BC) right up to the early 17th century AD, when the settlement suffered a violent end. Only three structures remain: one from the Bronze Age Kura-Araxes culture, and two from the Medieval Period. Aerial views reveal a large fortified wall around the village dating to the Early Medieval Period.

The 4th-3rd millennium BC was a vibrant time at the Orchosani settlement, which seems to have gone through three distinct cultural phases. The first, that of an early agricultural society, left behind only fragments of pottery, black or grey in color, similar to vessel types discovered at cave settlements in western Georgia. The Kura-Araxes culture came next, around 3,500 BC, with its distinct mud brick homes, elaborately polished black exterior and red interior pottery, and blend of agriculture and pastoralism. Orchosani yielded many artifacts in the Kura-Araxes style, including an anthropomorphic terracotta figurine. Little is known of the third culture to inhabit the site, the Bedeni. Jewelry and other metallic objects from this and earlier periods of the Bronze Age were probably imported from Anatolia, as evidenced by a bronze mattock that with a higher ratio of nickel than is found in Georgia.

ორჭოსანი

სამხრეთ საქართველოში, ახალციხის რაიონში, ისტორიულ პროვინცია სამცხეში, სოფელ ორჭოსანთან აღმოჩენილი მრავალფენიანი არქეოლოგიური ძეგლი ერთ ადგილზე ხანგრძლივი და უწყვეტი ცხოვრების მნიშვნელოვანი მაგალითია. ამ ადგილზე ადამიანი ჯერ კიდევ ქვედა პალეოლითის, აშელურ, ხანაში სახლობდა, რაც აქ აკრეფილმა ზედაპირულმა მასალამ (ქვის ხელცულები, საფხეკები და სახოკები) დაადასტურა. ამ ადგილას ცხოვრება ადრებრინჯაოს ხანაში განახლდა (სავარაუდოდ, ძვ.წ. IV ათასწლეულში) და მცირე პაუზებით XVII საუკუნემდე, სოფლის განადგურებამდე გრძელდებოდა. მილსადენების არეალში შესწავლილია სამი ნაგებობა: ერთი მტვარ-არაქსის კულტურას ეკუთვნის, ორი კი - შუა საუკუნეებისაა. აეროფოტოებზე კარგად ჩანს, რომ სოფელს შუა საუკუნეებში გალავანი ჰქონდა შემორტყმული.

ორჭოსანის დასახლებაზე, ძვ.წ. IV-III ათასწლეულების ფენებში სამი კულტურული პერიოდია დაფიქსირებული. პირველი, ადრესამიწათმოქმედო საზოგადოებაა, რომელმაც დასავლეთ საქართველოს ამავე პერიოდის ძეგლებზე მოპოვებული კერამიკის მსგავსი, რუხი და შავი ფერის ჭურჭლის ფრაგმენტები შემოინახა. ამას მოჰყვება მტკვარ-არაქსული ფენა, რომელსაც შავად ნაპრიალები ზედაპირი და წითელი შიდაპირი აქვს. ამ პერიოდს განვითარებული მესაქონლეობა და მიწათმოქმედება ახასიათებს. ორჭოსანის მტკვარ-არაქსულმა ფენამ მრავალი საინტერესო არტეფაქტი შემოინახა: მათ შორის აღსანიშნავია ტერაკოტის ანთროპომორფული ფიგურა. შემდგომი ფენა ბედენის კულტურის პერიოდს ემთხვევა. ძეგლზე მოპოვებული სამკაული და იარაღის ნაწილი ანატოლიური წარმოშობისა უნდა იყოს. მაგალითად, ბრინჯაოს თოხის ქიმიურ შემადგენლობაში უფრო მეტი ნიკელია, ვიდრე საქართველოს ტერიტორიაზე მოპოვებულ ბრინჯაოს ნივთებში.

This silver cross-dating to the 6th or 7th century AD is the first of its kind to be found in eastern Georgia.

ვერცხლის ეს ჯვარი VI-VII საუკუნეებისაა და აღმოსავლეთ საქართველოში მოპოვებულ ადრეულ ჯვართაგან ერთ-ერთი პირველია.

Although the Orchosani cemetery produced few artifacts, the surrounding settlement yielded objects spanning many time periods. The most stunning were the large 500-600 liter wine storage jars known as pithoi (a Greek term describing large storage jars of a particular shape) dating to the 12th century AD. Stone, metal, and bone objects that served a variety of purposes, from culinary to military, were also recovered. Religious art from many eras was well-represented in the form of statuettes, inscriptions, and jewelry.

The impressive materials discovered at this site are all the more remarkable considering that Orchosani was completely destroyed twice. The first time was in the 10th century AD, most likely during the Seljuk Turk invasions of Georgia. Orchosani was again destroyed in the 17th century AD during the Ottoman expansion of the area, causing its final demise.

ორჭოსანის სამაროვანზე არცთუ ბევრი არტეფაქტია მოპოვებული, მაგრამ ნამოსახლარზე მრავალი ნივთია აღმოჩენილი. საინტერესოა თიხის 500-600 ლიტრიანი ქვევრები, რომლებიც XII საუკუნით თარიღდება. ძეგლზე სხვადასხვა დანიშნულებისა (სამეურნეო, საბრძოლო და სხვ.) და მასალის (ქვის, ლითონის, ძვლის) ნივთებია აღმოჩენილი. მცირე ზომის ქანდაკებები, სამკაული და რამდენიმე წარწერა სხვადასხვა დროის რელიგიურ წარმოდგენებს ასახავს.

ორჭოსნის ნამოსახლარი შუა საუკუნეების განმავლობაში ორჯერაა განადგურებული. პირველი ნგრევა, როგორც ჩანს, სელჯუკთა თავდასხმას უკავშირდება და X საუკუნით თარიღდება. მეორე კი - სამცხეში ოტომანთა დაპყრობების შედეგი უნდა იყოს და იგი XVII საუკუნეში უნდა მომხდარიყო.

This fired red ceramic drinking vessel, dating to the 1st-3rd centuries AD, was found inside a pit burial next to the deceased.

წითლად გამომწვარი I-III საუკუნეების ეს სასმისი ორმოსამარხში, მიცვალებულის გვერდზე იდო.

Molded terracotta figurines like this one were used in religious practices during the second half of the 3rd millennium BC.

ტერაკოტის ასეთი ფიგურები ძვ.წ. III ათასწლეულში, სავარაუდოდ, რელიგიური მიზნებისათვის მზადდებოდა.

Turkey

Güllüdere

Located in the commercially vital region known as the Erzurum Plain in Turkey, Güllüdere reveals two distinct periods of habitation. The first, dating from the Iron Age (900-300 BC), provides evidence (especially similarities in pottery styles) that the inhabitants had cultural and commercial connections with the nearby sites of Tetikom and Tasmasor. The second period occurred during the Early Medieval Period. Findings from both habitation periods include multiple structural foundations, indicating a settlement and a cemetery either nearby or inside the settlement boundary. The burial practices observed at this cemetery allow archaeologists to link Güllüdere to well-established surrounding settlements in eastern Anatolia.

Of the 44 graves excavated at Güllüdere, 10 were definitively Iron Age. The deceased were buried in two distinct manners, the more elaborate of which involved placing the remains in a large ceramic or terracotta jar. While the exact reasons for this practice have not been determined, it is similar to the burial styles at neighboring sites, indicating a religious link. Following the normal pattern for jar burials in this region, grave goods accompanied the bodies. Those from the Iron Age are believed to have consisted only of the deceased's personal belongings. (The burial sites at Tetikom or Tasmasor included elaborate gifts, whose absence at Güllüdere could be the result of grave robbing rather than different spiritual practices.) Despite the general absence of grave goods in the Güllüdere cemetery, archaeologists discovered some stone, ceramic, and metallic objects. A few were well-preserved, such as a stone seal depicting a horse, a symbolically important animal in eastern Anatolia.

თურქეთი

გულუდერე

თურქეთში, ეკონომიკურად მნიშვნელოვან ერზერუმის ვაკეზე მდებარე გულუდერეს ნამოსახლარზე, ჩანს, რომ დასახლება ორ სხვადასხვა პერიოდში არსებობდა. პირველი, რკინის ხანით (ძვ.წ. 900-600) თარიღდება და ახლომდებარე ტეტიკონისა და თამასორის დასახლებასთან მჭიდრო ურთიერთობას ადასტურებს. მეორე დასახლება ადრე შუა საუკუნეებში ფუნქციონირებდა. ორივე პერიოდის ფენები სხვადასხვა ნაგებობის ნაშთებსა და სამაროვანს შეიცავს. სამარხებში აღმოჩენილი არტეფაქტები აღმოსავლეთ ანატოლიის მასალასთან ავლენს პარალელებს.

გულუდერეს სამაროვანზე შესწავლილი 44 სამარხიდან 10 რკინის ხანისაა. აქ დაკრძალვის ორი წესი დაფიქსირდა. უმეტესწილად, ადამიანის ნაშთები თიხის დიდ ჭურჭელში თავსდებოდა. დაკრძალვის ამ წესის ახსნა აქამდე არ მოგვეპოვება და თუ გავითვალისწინებთ, რომ მახლობელ ძეგლებზედაც ასეთივე რიტუალია დაფიქსირებული, იგი რელიგიურ რწმენასთან უნდა დავაკავშიროთ. ამ სამარხებში, ისე, როგორც რეგიონისათვის დამახასიათებელ ქვევრსამარხებში, მიცვალებულებს თან სხვადასხვა ნივთს ატანდნენ (გულუდერეს სამაროვანის მასალისაგან განსხვავებით, თამასორისა და ტელიკონის სამარხებში მდიდრული ინვენტარია). მიუხედავად იმისა, რომ გულუდერეს სამაროვანზე ცოტაა სამარხეული ინვენტარი, რაც ძარცვის შედეგი უნდა იყოს, არქეოლოგებმა მაინც მოიპოვეს ქვის, თიხისა და ლითონის ნივთები. ზოგიერთი ნივთი კარგადაა შემონახული, მაგალითად, ქვის საბეჭდავი, რომელზეც ცხენია გამოსახული.

0 10 20cm

A Medieval Period grave stone with a clover-decorated cross was unearthed at Güllüdere.

შუა საუკუნეების სამარხის ქვა ზე. გულუდერეში. ჯვრის გამოსახულებაა ამოკვეთილი.

These jar burials most commonly involved children. While adults were buried this way to a lesser extent, no evidence of this was discovered at the Güllüdere cemetery. The more common practice for adults was a simple soil burial, with the deceased placed on one side in a crouching, fetal position. Notably, all but one Iron Age burial site was situated with a north-south orientation, providing more evidence that the residents of Güllüdere at this time had an organized belief system and specific understanding of an afterlife.

It was difficult to analyze Güllüdere's habitation during the Medieval Period. The foundations of a few Hellenistic structures were discovered but were so damaged that meaningful conclusions were impossible to draw. The graves from this period yielded even less information than those from the Iron Age. A few Christian tombstones were, however, found at the site, implying that Byzantine Christian influences were present at the time of the burials.

ქვევრსამარხებში, როგორც წესი, ბავშვები იყვნენ დაკრძალული. მართალია, ქვევრსამარხებში მოზრდილებსაც მარხავდნენ, მაგრამ მათთვის უფრო ორმოსამარხებია დამახასიათებელი. ორმოსამარხებში მიცვალებულები გვერდზე, ხელფეხმოკეცილად, ემბრიონის მსგავს მდგომარეობაში იწვნენ. ერთი მიცვალებულის გარდა, რკინის ხანის ყველა მიცვალებული სამხრეთიდან ჩრდილოეთისაკენ იყო დამხრობილი, რაც რკინის ხანაში გულუდერეს მოსახლეობის ჩამოყალიბებულ რელიგიურ რწმენა-წარმოდგენებზე მიგვანიშნებს.

ძნელია ვიმსჯელოთ გულუდერეს შუა საუკუნეების მოსახლეობის შესახებ. მართალია, აქ ელინისტური ხანის რამდენიმე ნაგებობის საძირკველი აღმოჩნდა, მაგრამ ისინი იმდენად დაზიანებულია, რომ პრაქტიკულად, ინფორმაციას არ იძლევა. შუა საუკუნეების სამარხებმა რკინის ხანის სამარხთა მონაპოვართან შედარებით მცირე მასალა მოგვცა. რამდენიმე ქრისტიანული საფლავის ქვის აღმოჩენამ დაადასტურა, რომ აქ ბიზანტიური გავლენა ძლიერი იყო.

This stone seal depicting a horse was found on the chest of a skeleton in an Iron Age grave in Güllüdere. A hole on the reverse side could have been used to suspend the stone.

ეს ქვის საბეჭდავი, რომელზედაც ცხენია გამოსახული, გულუდერეში, რკინის ხანის სამარხში მიცვალებულის მკერდზე აღმოჩნდა. საბეჭდავის მეორე მხარეს დატანილი ხვრელი მის დასამაგრებლად იყო გაკეთებული.

This drawing shows a utilitarian Medieval terracotta jug with a folded mouth and incised decorations around its shoulder. It was thrown on a potters wheel and then burnished or polished.

ნახატზე გამოსახულია შუა საუკუნეების, მორგვზე დამზადებული და ტერაკოტის გაპრიალებული ჭურჭელი, რომელსაც ორნამენტირებული მხარი აქვს.

This site plan depicts a large Iron Age complex of domestic structures, with associated courtyards. There is at least one hearth and one burial site in the complex. Excavators concluded that the structures' walls were probably made of stone, given the apparent absence of mud brick.

ძეგლის ეს გეგმა რკინის ხანის ნაგებობების კომპლექსია. კომპლექსში ერთი ღუმელი და ერთი სამარხიცაა. გათხრების შედეგად დამტკიცდა, რომ შენობები ქვითაა ნაგები და ალიზი მშენებლებს არ გამოუყენებიათ.

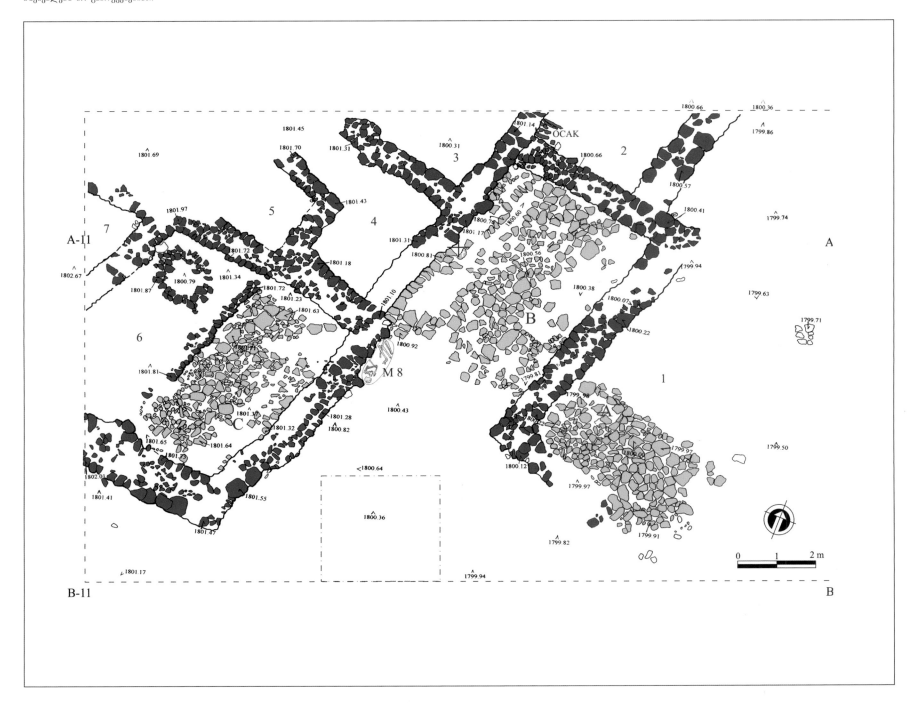

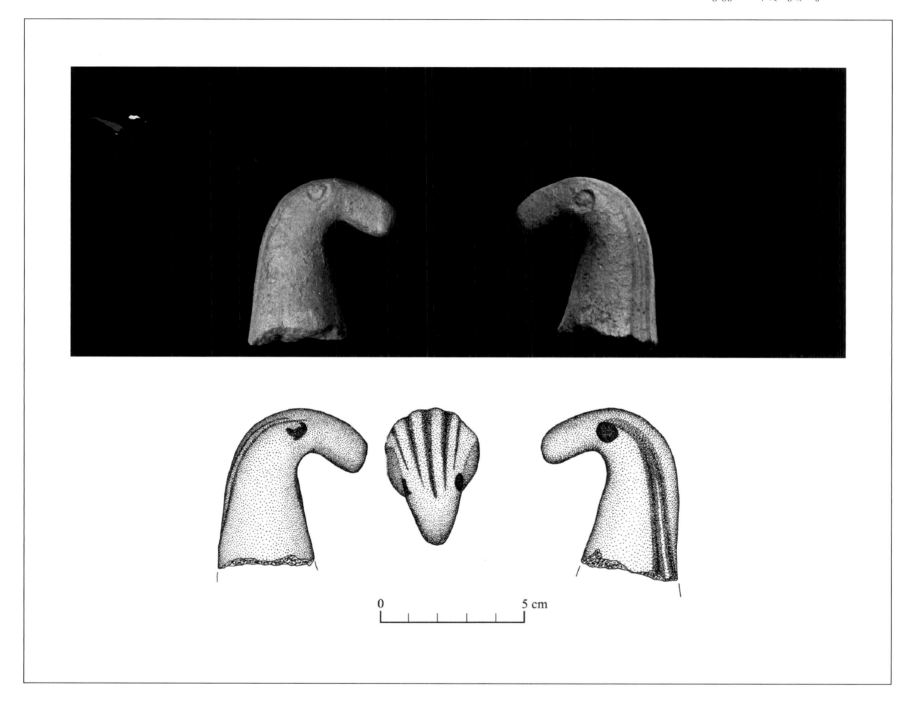

0   5 cm

Ziyaretsuyu

The Romans were famous for their paved roads and intricate trade systems, concepts that seem elementary today but were truly innovative 2000 years ago. The roads were crucial to Rome's military efficiency and commercial prosperity. In 2003, at the Ziyaretsuyu settlement, which was along one such Roman road in what is now the Sivas Province of central Turkey, a team from Gazi University unearthed two distinct and likely related structures. The sheer abundance of ceramics recovered from the two buildings suggests that the team uncovered only a fraction of what is likely a larger settlement. While the poor condition of the buildings' structures suggests that the people who lived within them were not wealthy, the site was probably densely populated.

Although archaeologists date the site primarily to the Roman Period, there is evidence it was active slightly earlier, in the 2nd century BC. Architectural and ceramic elements there display some Hellenistic characteristics, and a coin found in the same cultural stratigraphic layer as the excavated buildings and dated from between 105 BC and 70 BC portrays the image of Hercules. Unfortunately, the coin was so damaged that vital information such as the location of the mint was not recoverable. The coin also indicates that Ziyaretsuyu was a place of commerce linked to Roman and Greek societies. If so, why were there so few architectural and metallic remnants? Historians suggest that the answer lies in the geographical position of the settlement.

ზიარეთსუიუ

რომაელები განთქმულნი იყვნენ მოკირწყლული გზებითა და განვითარებული სავაჭრო სისტემით, რაც დღეისათვის გასაკვირი არაა, მაგრამ 2000 წლის წინ ეს დიდი სიახლე იყო. გზები რომაელთათვის როგორც სამხედრო, ისე ეკონომიკური თვალსაზრისით უმნიშვნელოვანესი იყო. 2003 წელს ცენტრალურ თურქეთში, რომაული გზის მახლობლად მდებარე ზიარეთსუიუს ნამოსახლარზე, გაზის უნივერსიტეტის ექსპედიციამ ორი ერთმანეთთან დაკავშირებული ნაგებობა შეისწავლა. აქ მოპოვებული კერამიკული მასალა მიუთითებს, რომ ექსპედიციამ ძეგლის მხოლოდ მცირე ნაწილი შეისწავლა. აქ მცხოვრები ხალხი მდიდარი არ იყო, თუმცა დასახლება საკმაოდ მჭიდრო აღმოჩნდა.

მართალია, ძეგლი რომაული ხანით თარიღდება, მაგრამ ზოგიერთი დეტალი მიგვანიშნებს, რომ აქ ცხოვრება ძვ.წ. II საუკუნეში დაიწყო. კერამიკა და არქიტექტურული დეტალები ელინისტურ ელემენტებზე მიგვანიშნებს, ხოლო ამავე ფენაში მოპოვებული ჰერაკლეს გამოსახულებიანი მონეტა ძვ.წ. 105-70 წლებით თარიღდება. სამწუხაროდ, მონეტა ისეთი დაზიანებული იყო, რომ მისი მოჭრის ადგილი ვერ გაირკვა. მონეტაზე დაყრდნობით შეიძლება ითქვას, რომ ზიარეთსუიუ სავაჭრო ადგილი და ბერძნულ-რომაული სამყაროს ნაწილი იყო. თუკი ეს ასეა, მაშინ რატომაა აქ ასე მცირე რაოდენობის არქიტექტურული დეტალები და ლითონის ნივთები? ისტორიკოსების აზრით, ეს ძეგლის მდებარეობითაა განპირობებული.

This terracotta statuette of a woman is characteristic of Hellenistic figurines in the region. The woman appears to be wearing a cloak over her left shoulder, a common fashion for married women.

ტერაკოტისაგან დამზადებული ეს ქანდაკება ელინისტური კულტურის გავლენითაა შექმნილი. მას მარცხენა მხარზე გადაკიდებული მოსასხამი აქვს მოცმული, რაც გათხოვილი ქალისათვის იყო დამახასიათებელი.

This display shows a sample of the diverse pottery types found at Ziyaretsuyu. The sheer volume and variety of the ceramic vessels suggest a densely populated settlement along a trade route.

ამ სურათზე ზიარეთსუიუში მოპოვებული სხვადასხვა ტიპის თიხის ჭურჭელია წარმოდგენილი. ჭურჭლის სიმრავლე და მრავალფეროვნება მჭიდრო დასახლებასა და სავაჭრო გზასთან სიახლოვეზე მიუთითებს.

Ziyaretsuyu was situated in a region neighboring the highland Galatians to the west and Cappadocians to the south. Consistent pillaging by these advanced societies likely affected the residents of Ziyaretsuyu and could explain the scarcity of prestige items, such as jewelry and other metallic objects, along with construction styles consistent with a simple seasonal (hence poor) settlement. With warfare continuously destroying their structures, the residents might have had less incentive or economic ability to rebuild lavish homes. These theories are, however, speculative, and will surely benefit from additional research and excavation at Ziyaretsuyu and related sites.

ზიარეთსუიუ დასავლეთით გალათიელებით დასახლებული მთების მახლობლად, სამხრეთით კი კაპადოკიელების ტერიტორიის სიახლოვეს მდებარეობდა. ამ განვითარებული საზოგადოებების მიერ დასახლების ხშირ ძარცვას შედეგად უნდა გამოეწვია ზიარეთსუიუს მოსახლეობის გაღარიბება და აქ ფუფუნების საგნების (სამკაულისა და ლითონის სხვა ნივთების) არარსებობა. ამავე დროს, შენდებოდა დროებითი (ე. ი. ღარიბული) შენობები. დაუსრულებელი ბრძოლების შედეგი ნგრევა და ახალი ნაგებობების ასაშენებლად სახსრების უქონლობა უნდა ყოფილიყო. ეს მხოლოდ თეორიაა, პასუხი კი ძეგლის დამატებითმა შესწავლამ უნდა მოგვცეს.

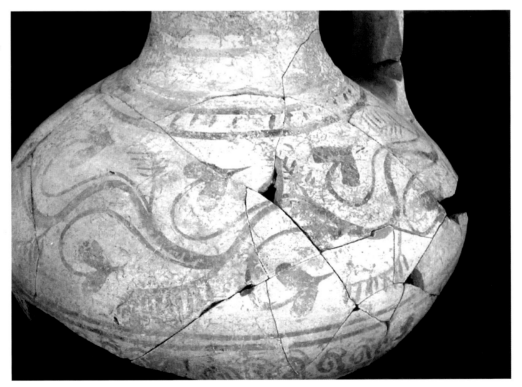

A few ceramic vessels discovered at Ziyaretsuyu were decorated with the ivy heart-shaped motif are shown here. This rare style is a remnant of an Iron Age ceramic tradition that persisted into the Roman Period in some areas.

ზიარეთსუიუში მოპოვებული თიხის ზოგიერთი ჭურჭელი გულის ფორმის სუროს ორნამენტითაა შემკული. ეს მოტივი რკინის ხანიდანაა შემორჩენილი და რომაული ხანის კერამიკაშიც იჩენს თავს.

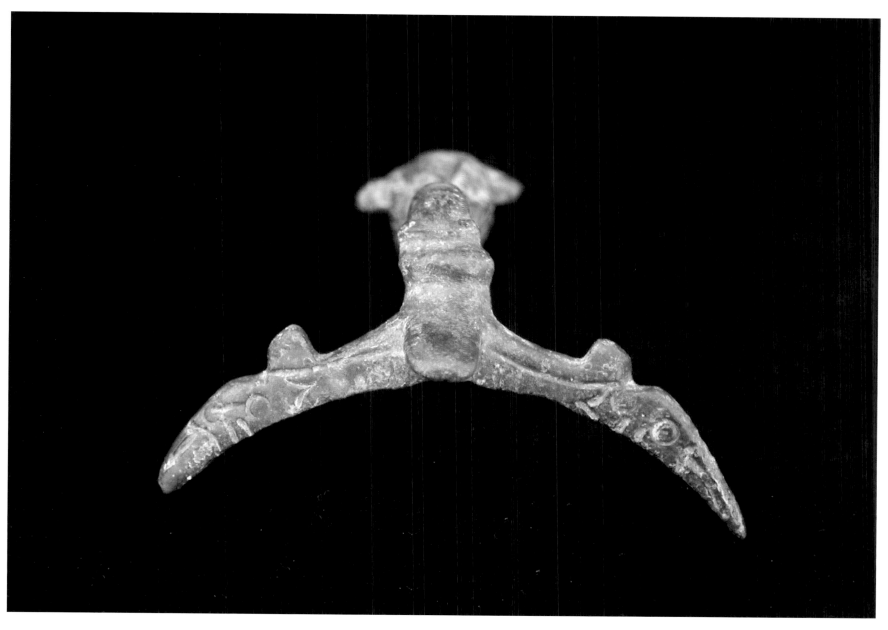

Note the eagle head tips on this bronze object, possibly a broken handle from a metallic vessel. The lower portion of the object (not seen in this image) displays the face of a helmeted soldier.

ბრინჯაოს ჭურჭლის გატეხილ სახელურზე არწივის თავია გამოსახული. ნივთის ქვედა ნაწილზე (ფოტოზე არ ჩანს) მუზარადიანი ჯარისკაცის გამოსახულებაა.

The remains of a large jar are lifted carefully from an excavation block in Georgia.

საქართველოს ტერიტორიაზე აღმოჩენილი მოზრდილი ჭურჭელი გათხრების ადგილიდან ფრთხილად ამოაქვთ.

The site of Ziyaretsuyu in Sivas Province, Turkey, painstakingly excavated, was one of the sites in the pipeline corridor that yielded important discoveries.

თურქეთში, სივაშის პროვინციაში, ზიარეთსუიუს უბანზე ჩატარებულმა სკრუპულოზურმა გათხრებმა მილსადენის მშენებლობის ამ მონაკვეთზე მნიშვნელოვან აღმოჩენებს დაუდო საფუძველი.

St. George's Church at Tadzrisi Monastery, restored as part of BP's cultural heritage program in Georgia, continues to play an important role for worshippers in the local community. This ceremony took place after restoration of the sacred monument was completed.

საქართველოში მილსადენების მშენებლობის კულტურული მემკვიდრეობის პროგრამის ფარგლებში აღდგენილი ტაძრისის წმინდა გიორგის ეკლესია ადგილობრივი მოსახლეობისათვის უდიდესი მნიშვნელობის მქონეა. საზეიმო ცერემონია ამ წმინდა სალოცავის აღდგენის შემდეგ ჩატარდა.

CHAPTER 4

Nurturing a Shared Heritage

Archaeology allows people to learn more about past civilizations and the story of humankind. It provides a sense of identity and understanding not just of human diversity, but also of the interconnectedness of societies over time. It can be used to mobilize tourism and economic development. And it can be used to advance the discovery and application of scientific techniques.

თავი 4

ვუფრთხილდებით საერთო მემკვიდრეობას

არქეოლოგიური გათხრების საშუალებით გარდასული ცივილიზაციებისა და, ზოგადად, კაცობრიობის ისტორიის შესახებ უმნიშვნელოვანესი ინფორმაციის მოძიება ხდება. იკვეთება სხვადასხვა ხალხის მრავალფეროვნების სურათები, წარმოჩინდება სრულიად განსხვავებულ საზოგადოებებში არსებული მსგავსებები და კავშირები. არქეოლოგიური კვლევები ტურიზმისა და ეკონომიკური განვითარების სტიმულადაც შეიძლება იქცეს და სამეცნიერო ტექნოლოგიების დანერგვას შეუწყოს ხელი.

Najaf Museyibli (left) and Fikret Orujov
explain the Azerbaijani archaeological recovery
process to a local reporter.

ნაჯაფ მუსეიბლი (მარცხნივ) და ფიქრეთ
ორუჯოვი აზერბაიჯანელ ჟურნალისტს
გათხრების პროცესს აცნობენ.

The pipeline project marks a significant advance in archaeology in the Caucasus, and has helped cast new light on the region's past. Through exemplary excavation, multi-disciplinary analysis of findings, and dissemination through a wide range of media, most notably exhibitions and publications, the project has increased understanding of the region's archaeological record.

Equally important, through the AGT Pipelines Archaeology Program, the project is playing a critical role in building capacity by nurturing institutions in the host countries so that they are better able to work on their own consistent with international standards. The project has gone beyond the immediate requirements specific to the archaeological work to undertake, as well, long-term engagement to strengthen local institutions that deal with the environment, cultural heritage, material culture, scientific, educational, and other areas relevant to the project. Local professionals have been able to extend their knowledge in many areas, such as project management; analyses and syntheses of findings; and conservation of the artifacts found. Azerbaijan, Georgia, and Turkey are now positioned to approach archaeological projects with greater creativity and flexibility. Increased commitment will enable them to fully utilize the talents of well-trained professionals to uncover more of their fascinating pasts. The AGT Pipelines Archaeology Program will continue to emphasize capacity-building of organizations in the cultural heritage sector. This chapter reviews the specific efforts developed for each country and the wider public outreach initiatives.

მილსადენების სამშენებლო პროექტმა მნიშვნელოვნად შეუწყო ხელი სამხრეთ კავკასიაში არქეოლოგიურ კვლევებსა და რეგიონის წარსულის ახლებური კუთხით წარმოჩენას. მისი მიმდინარეობისას გათხრების, მოპოვებული მასალის მულტიდისციპლინური ანალიზის, მედია-საშუალებების გამოყენების, გამოფენებისა და პუბლიკაციების საშუალებით რეგიონის არქეოლოგიური მემკვიდრეობის უკეთ შესწავლა მოხერხდა.

BP-სა და მისი პარტნიორების მიერ შემუშავებული კულტურული მემკვიდრეობის პროგრამის ფარგლებში მნიშვნელოვან როლს თამაშობს ე.წ. “შესაძლებლობათა განვითარების” პროგრამა, რომელიც კულტურული მემკვიდრეობის ადგილობრივ ორგანიზაციებს საერთაშორისო სტანდარტების დანერგვაში ეხმარება. პროგრამა უშუალოდ არქეოლოგიური მიზნების ფარგლებსაც გასცდა და გრძელვადიანი კონტაქტები დაამყარა გარემოსდაცვით, კულტურული მემკვიდრეობის, მატერიალური კულტურის, სამეცნიერო, საგანმანათლებლო და სხვა დარგებში მომუშავე ორგანიზაციებთან. ადგილობრივ კადრებს საშუალება მიეცათ შეეძინათ და გაემდიდრებინათ ცოდნა სხვადასხვა სფეროში: პროექტის მართვაში, მოპოვებული მასალის ანალიზსა და არტეფაქტების კონსერვაციაში. აზერბაიჯანში, საქართველოსა და თურქეთში მიღებული გამოცდილების შედეგად, სპეციალისტები მეტი კრეატიულობით მოეკიდებიან არქეოლოგიურ პროექტებს და მეტ მოქნილობას გამოიჩენენ. ამავდროულად, გაზრდილი პასუხისმგებლობის წყალობით ისინი თავიანთი ნიჭისა და ცოდნის უკეთ გამოყენებას შეძლებენ. მილსადენების არქეოლოგიური პროგრამა კვლავაც გააგრძელებს კულტუტული მემკვიდრეობის სექტორში მომუშავე ორგანიზაციების მხარდაჭერას. ამ თავში მიმოხილულია ის სპეციფიური მცდელობები და ინიციატივები, რომლებიც თითოეული ქვეყნისათვის შემუშავდა.

David Maynard, an archaeologist from Wales, assisted BP with the administration of the cultural heritage program in Azerbaijan from the start of pipeline planning through the preparation of technical reports.

უელსელი არქეოლოგი დევიდ მეინარდი BP-ის ეხმარებოდა აზერბაიჯანში კულტურული მემკვიდრეობის პროგრამის ადმინისტრირებაში მშენებლობის დასაწყისიდან მის დამთავრებამდე.

Azerbaijan

In Azerbaijan, BP and its coventurers have sponsored scientific efforts to study the archaeological finds of the project and undertaken capacity-building measures to strengthen local institutions in the region. For example, over 100 scholars from Azerbaijan and the broader Caucasus region attended a 2005 Conference on Archaeology, Ethnology, and Folklore. Other efforts have deepened the capabilities of the institutions responsible for long-term preservation of artifacts and their presentation to the public. The refurbishment of the Museum of History and Local Studies located in the Goranboy District, which preserves and displays finds from the nearby excavation site of Borsunlu Kurgan, is an example. This initiative was part of a broader effort to facilitate the establishment of standards for collections management at the Institute of Archaeology and Ethnography in Baku, which manages numerous collections from project excavations. The Institute also received equipment and expertise needed to properly maintain the collections: a conservation laboratory was established and outfitted; protocols for long-term conservation of collections developed; and five archaeologists given conservation training.

Education and public outreach—making information about the excavation sites in Azerbaijan available to the public—were other important areas of activity. This book and the associated website are two examples of this effort. The Caspian Energy Center in the Sangachal oil and gas terminal at the edge of the Caspian Sea provides visitors, including thousands of school children, with engaging exhibition and educational activities that explain the significance of the pipelines and the cultural heritage unearthed during its construction.

აზერბაიჯანი

აზერბაიჯანში BP-მ და მისმა პარტნიორებმა დააფინანსეს არქეოლოგიური კვლევები და ადგილობრივი დაწესებულებების "შესაძლებლობათა განვითარების" პროგრამა. მის მაგალითად შეიძლება მოვიხმოთ 2005 წელს გამართული არქეოლოგიის, ეთნოგრაფიისა და ფოლკლორისტიკის კონგრესი, რომელშიც აზერბაიჯანისა და კავკასიის სხვა ქვეყნების 100-ზე მეტი წარმომადგენელი მონაწილეობდა. - ის ძალისხმევა აგრეთვე მიმართული იყო იმ დაწესებულებების შესაძლებლობების გასაზრდელად, რომლებიც არტეფაქტების დაცვასა და საზოგადოებისათვის წარდგენაზე არიან პასუხისმგებელი. ამის მაგალითია გორანბოის რაიონის მხარეთმცოდნეობის მუზეუმის რეკონსტრუქცია, სადაც ამავე რაიონში გათხრილი ბორსუნლუს ყორღანის მასალა ინახება. ეს ინიციატივა ნაწილია უფრო ფართო მცდელობისა, რათა ბაქოს არქეოლოგიისა და ეთნოგრაფიის ინსტიტუტში კოლექციების მართვის უფრო მაღალი სტანდარტები დანერგილიყო. ინსტიტუტმა მიიღო აღჭურვილობა და კოლექციების შესენახაად საჭირო გამოცდილება. ამავე დროს, შეიქმნა და აღიჭურვა კონსერვაციის ლაბორატორია, განისაზღვრა კონსერვაციის წესები. ხუთმა არქეოლოგმა გაიარა სპეციალური ტრენინგი კონსერვაციის სფეროში.

განათლება და საზოგადოებაზე ორიენტირებული პროგრამები ერთერთი მნიშვნელოვანი მიმართულებაა, რომელიც ხელს უწყობს გათხრებზე ინფორმაციის საჯაროობასა და ხელმისაწვდომობას. ეს წიგნი და მასთან დაკავშირებული ვებგვერდი აღნიშნული ძალისხმევის კარგი ნიმუშია. "კასპიის ენერგიის ცენტრი" სანგაჩალის ნავთობისა და გაზის ტერმინალის მნახველებს სთავაზობს გამოფენებსა და საგანმანათლებლო ღონისძიებებს. მათ ათასობით სკოლის მოსწავლე სტუმრობს. პროგრამების მონაწილეებს საშუალება აქვთ, მიიღონ ინფორმაცია მილსადენის მნიშვნელობაზე, აგრეთვე, მისი მშენებლობისას აღმოჩენილ კულტურულ მემკვიდრეობაზე.

Recovery of large storage vessels from a site near
Tovuz, Azerbaijan, required painstaking extraction
and preservation.

აზერბაიჯანში, თოვუზის მახლობლად,
აღმოჩენილი დიდი ზომის ჭურჭლის
ამოღება გარკვეულ სიძნელეებთან იყო
დაკავშირებული.

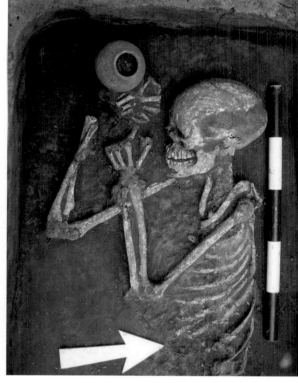

Excavations near Gyrag Kasaman, Azerbaijan,
exposed several burial sites from the Antique Period.

აზერბაიჯანში, გირაგ ქასამანის
მახლობლად ანტიკური ხანის სამარხები
აღმოჩნდა.

Past and Future Heritage in the Pipelines Corridor

The Nizami Museum of Literature in Baku, Azerbaijan, is named for the 12th century poet from Ganja, considered the greatest romantic epic poet.

აზერბაიჯანში, ბაქოს ლიტერატურის მუზეუმი XII საუკუნის დიდი სპარსი პოეტის ნიზამი განჯელის სახელს ატარებს.

TEKNICA A3

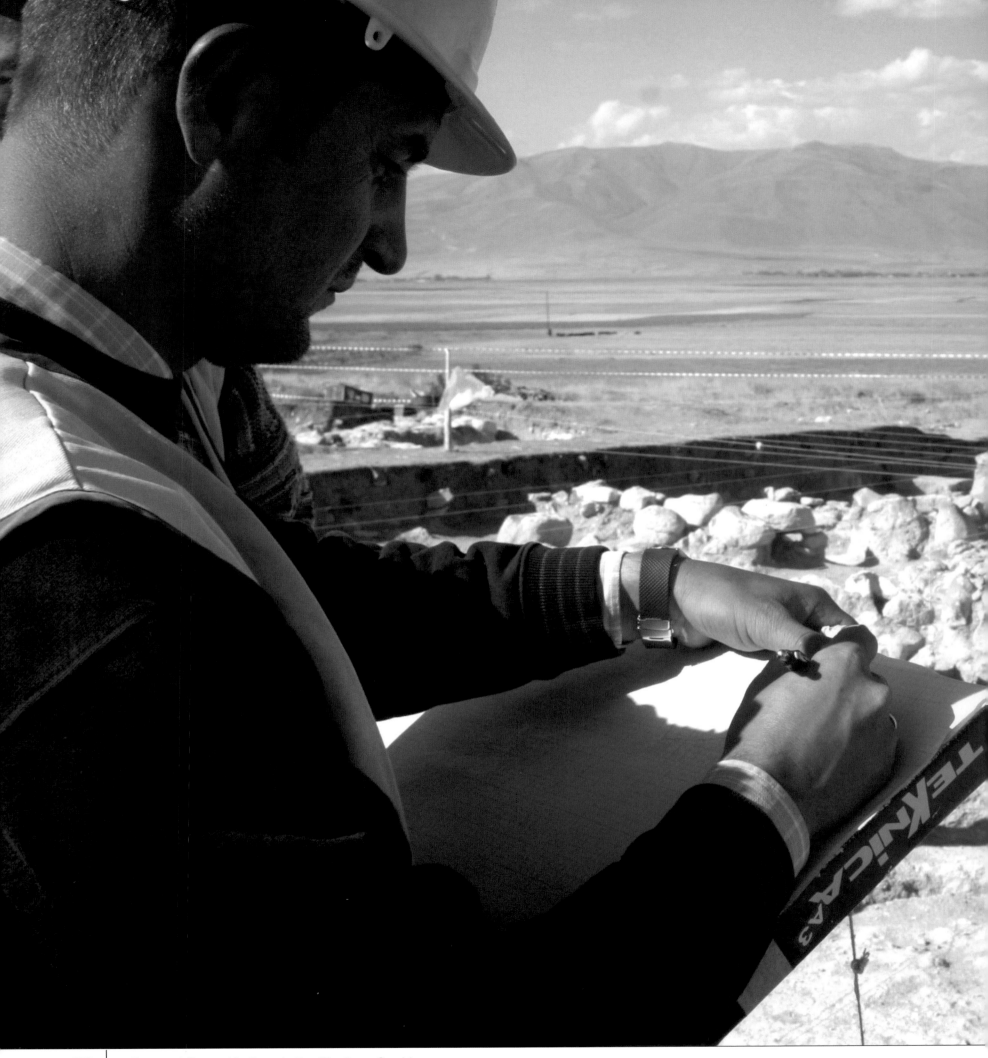

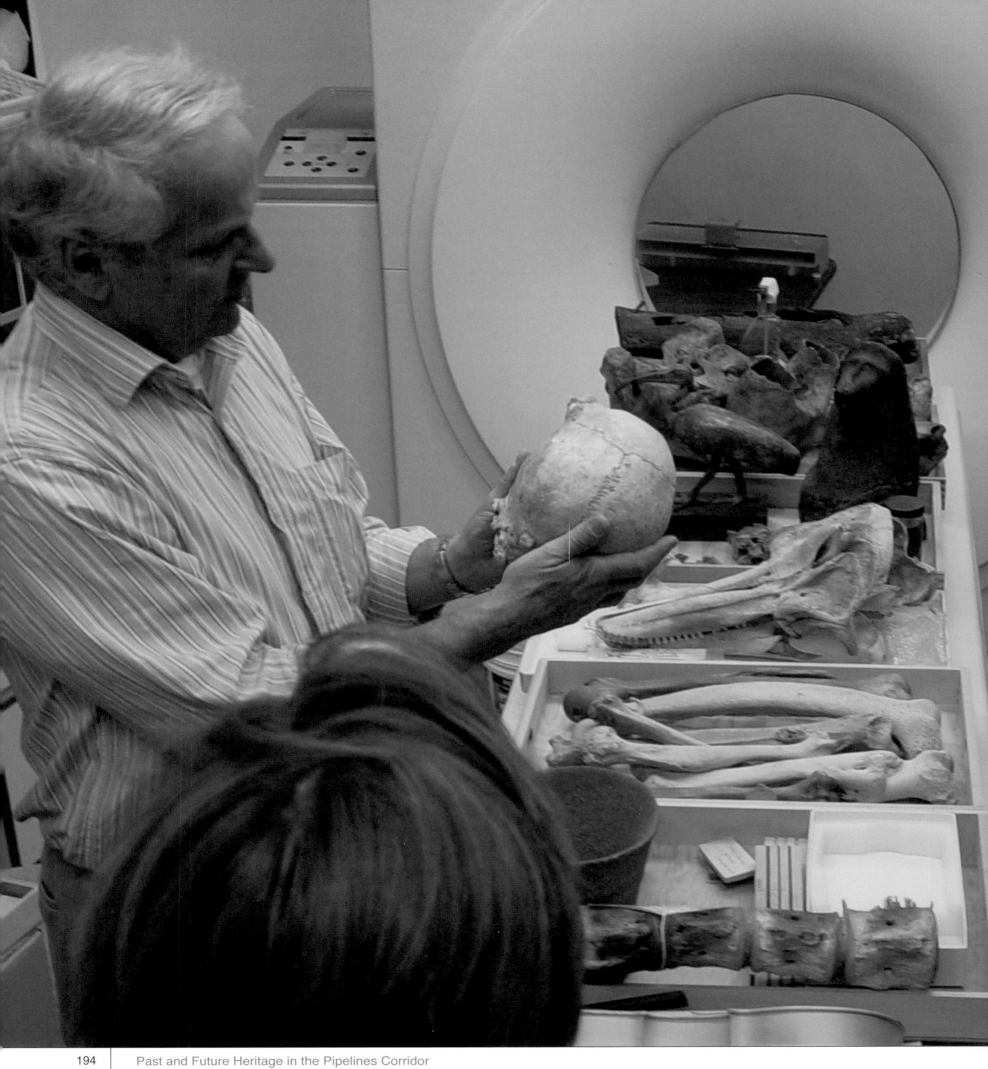

Past and Future Heritage in the Pipelines Corridor

Azerbaijani and Georgian cultural heritage specialists observe CAT scanning equipment with Dr. Bruno Frohlich, Smithsonian Institution, during meetings at the Smithsonian Institution in October 2008.

სმითსონის ინსტიტუტში, 2008 წლის ოქტომბერში გამართულ შეხვედრაზე ქართველი და აზერბაიჯანელი სპეციალისტები დოქტორ ბრუნო ფროლიხთან ერთად CAT- ის ტიპის სკანერს ათვალიერებენ.

Archaeologist Lali Akhalaia, Cultural Heritage Coordinator Dawn Alexander, Cultural Heritage Monitor Nino Erkomaishvili, and Project Director and Senior Architect Merab Bochoidze discuss the next steps during the restoration of Tadzrisi Monastery in Georgia.

არქეოლოგები ლალი ახალაია, კულტურული მემკვიდრეობის კოორდინატორი დონ ალექსანდერი, კულტურული მემკვიდრეობის მონიტორი ნინო ერქომაიშვილი და პროექტის ავტორი, მერაბ ბოჭოიძე განიხილავენ ტაძრისის მონასტრია აღდგენითი სამუშაოების შემდგომ ეტაპებს.

The main fortress wall at Sakire in Georgia is tied by an archway to the wall that encircles the courtyard.

საკირეში (საქართველო) ციხესიმაგრის მთავარი კედელი თაღით უკავშირდება შიდა ეზოს კედელს.

Restoring the domed roof of St. Mary s Church at Tadzrisi in Georgia involved replacing missing stones and securing loose ones.

ტაძრისში (საქართველო) წმ. მარიამის ეკლესიის თაღოვანი გადახურვის აღსადგენად მორყეული ქვები გაამაგრეს.

Interior of the restored St. George church in Tadzris Monastery.

ტაძრისის წმინდა გიორგის აღდგენილი ეკლესიის ინტერიერი.

Prior to restoration work, the small St. Mary's Church in Tadzrisi in Georgia, although overgrown with vegetation and in ruins, was still visited by local Georgians.

მცენარეული საფარით დაფარულ და ნანგრევებად ქცეულ ტაძრისის წმ. მარიამის ეკლესიას აღდგენამდეც არ აკლდა მომლოცველები.

This cross was inscribed into the sandstone above a lintel of St. George's Church in Tadzrisi in Georgia.

ეს ჯვარი ტაძრისის წმ. გიორგის ეკლესიის სარკმლის ზღუდარზეა ამოკვეთილი.

Yüceören site report published by Gazi University in 2006.

იექერონის გათხრების ანგარიში გაზის უნივერსიტეტმა 2006 წელს გამოსცა.

BAKÜ - TİFLİS - CEYHAN HAM PETROL BORU HATTI PROJESİ
ARKEOLOJİK KURTARMA KAZILARI YAYINLARI: 1

BAKU - TBILISI - CEYHAN CRUDE OIL PIPELINE PROJECT
PUBLICATIONS OF ARCHAEOLOGICAL SALVAGE EXCAVATIONS: 1

YÜCEÖREN

DOĞU KİLİKYA'DA BİR HELENİSTİK - ROMA NEKROPOLÜ
A HELLENISTIC AND ROMAN NECROPOLIS IN EASTERN KILIKIA

S. YÜCEL ŞENYURT
ATAKAN AKÇAY, YALÇIN KAMIŞ

ANKARA
2006

Archaeologists from Georgia's Center for
Archaeological Studies review data gathered
along the pipeline.

საქართველოს არქეოლოგიური ცენტრის
თანამშრომლები მილსადენის ტერიტორიაზე
მოპოვებულ მასალას აკვირდებიან.

Turkey

Cultural heritage efforts in Turkey under the pipeline project have focused mainly on capacity building at the regional museums where most of the collections from the excavations were deposited. The museums are located in the provinces of Kars, Erzurum, Sivas, Kahramanmaras, and Adana, which lie along the route. The project began with needs assessments developed by the directorates for the museums, and has involved investment in equipment, training, and publications. The project undertook the capacity-building work in Turkey in conjunction with the Association of Archaeologists, Gazi University, and the British Institute of Archaeology, all in Ankara.

An additional result of the archaeology program in Turkey has been an internationally recognized series of illustrated publications on the sites excavated along the pipeline. The Smithsonian Institution's AGT project website (http://www.agt.si.edu) has posted original Azerbaijani, Georgian and Turkish excavation site reports.

თურქეთი

თურქეთში მილსადენების სამშენებლო პროექტის კულტურული მემკვიდრეობის პროგრამა ძირითადად მიმართული იყო იმ რეგიონალური მუზეუმების შესაძლებლობათა გაზრდაზე, სადაც მილსადენის არეალში მოპოვებული მასალა ინახებოდა (ყარსის, ერზრუმის, სივაშის, ყარამანმარისა და ადანას მუზეუმები). პროექტი დაიწყო იმ საჭიროებათა და მოთხოვნათა შეფასებით, რომლებიც მუზეუმების დირექტორებმა შეიმუშავეს. ანალიზის შესაბამისად, გამოიყო ინვესტიციები მუზეუმის აღსაჭურვად, თანამშრომელთა ტრენინგებისა და პუბლიკაციებისათვის. "შესაძლებლობათა გაზრდის" ეს პროექტი ანკარის არქეოლოგთა ასოციაციის, გაზის უნივერსიტეტისა და ბრიტანეთის არქეოლოგიის ინსტიტუტის ერთობლივი ძალისხმევით განხორციელდა.

თურქეთში არქეოლოგიურ ძეგლთა აღმოჩენისა და გათხრების კვალდაკვალ ილუსტრირებულ პუბლიკაციათა მთელი სერია გამოქვეყნდა. სმითსონის ინსტიტუტის აზერბაიჯანულ-ქართულ-თურქული პროექტის ფარგლებში ინტერნეტში განთავსდა გათხრების საინფორმაციო ვებგვერდი http://agt.si.edu., რომელშიაც აზერბაიჯანში, საქართველოსა და თურქეთში ჩატარებული გათხრების ანგარიშებია მოტანილი.

Conclusion

As they wind their way through Azerbaijan, Georgia, and Turkey, the pipelines stand as symbols of a more prosperous and integrated future for the South Caucasus and eastern Anatolia. But the planning and construction of the pipelines have also had a major impact on understanding the past of the region, which has long been recognized as a heartland of ancient history. The cultural heritage component of the BTC and SCP pipelines project continues to fill, gaps in our knowledge of the civilizations that occupied these ancient lands. The project will have a lasting impact on archaeological science and institutions in the host countries. It will surely continue to encourage cooperation in understanding and appreciating this region's common heritage that is such an important part of the shared heritage of people everywhere.

დასკვნა

აზერბაიჯანის, საქართველოსა და თურქეთის ტერიტორიებზე გამავალი მილსადენები სამხრეთ კავკასიასა და აღმოსავლეთ ანატოლიაში უფრო წარმატებული და ინტეგრირებული მომავლის სიმბოლოებად იქცნენ. მილსადენების დაპროექტებამ და მშენებლობამ ასევე ხელი შეუწყო იმ რეგიონის წარსულის კვლევას, რომელიც უძველესი ცივილიზაციების ერთ-ერთ აკვნად ითვლება. BTC და SCP პროექტების წყალობით მდიდრდება ჩვენი ცოდნა იმ ცივილიზაციათა შესახებ, რომლებიც ამ უძველეს მიწებზე არსებობდა. პროექტი კიდევ მოახდენს გავლენას მასპინძელი ქვეყნების არქეოლოგიური მეცნიერების და ინსტიტუტების განვითარებაზე, ხელს შეუწყობს ამ რეგიონის საერთო კულტურული მემკვიდრეობის შესწავლასა და თანამშრომლობის ინიციატივებს.

"Pipelines awaken ancient history" archaeological exhibition in the Caspian Energy Centre at BP operated Sangachal oil and gas terminal.

არქეოლოგიური გამოფენა "ნავთობსადენები და გამოღვიძებული ისტორია" კასპიის ენერგეტიკის ცენტრში, BP-ის მიერ მართულ სანგაჩალის ტერმინალში.

Acknowledgements

The volume presents information on some of the extraordinary treasures discovered during of the construction of the BTC and SCP pipelines and celebrates the new archaeological contributions uncovered during field work beginning in 2003 in Azerbaijan, Georgia, and Turkey. The volume is part of a larger cultural heritage program, sponsored by BP and its coventurers in the Caspian projects. The authors thank BP for its support of this publication, which provides examples of the historic sites and artifacts unearthed during the excavations and underscores the cultural connections among peoples from the region. We extend our sincere gratitude to BP staff: Ismail Miriyev, Elnara Huseynova and Nino Erkomaishvili for their advice and patience during the production of this book. They provided continuing encouragement as well as invaluable access to site materials and introductions to pertinent scholars, images, and ideas. Their cooperation and substantive comments greatly enriched and improved the book. We also thank Gunesh Alakbarova and Turkhan Ahmadov for proofreading the Azerbaijani text.

მადლობა გაწეული სამუშაოსათვის

ამ წიგნში შესულია ინფორმაცია აზერბაიჯანში, საქართველოსა და თურქეთში 2003 წელს დაწყებული BTC და SCP მილსადენების მშენებლობისას აღმოჩენილი მდიდარი არქეოლოგიური მასალის შესახებ. წიგნი იმ კულტურული მემკვიდრეობის პროგრამის ნაწილია, რომელიც BP-მ და მისმა პარტნიორებმა დააფინანსეს. ავტორები მისი გამოცემის ხელშეწყობისათვის BP-ის დიდ მადლობას უხდიან. პუბლიკაციაში უხვადაა მოცემული ინფორმაცია არქეოლოგიური გათხრების შედეგად აღმოჩენილი არქეოლოგიური მასალებისა და ძეგლების შესახებ, აგრეთვე გამახვილებულია ყურადღება რეგიონის ხალხთა კულტურულ კავშირებზე. წიგნზე მუშაობისას გაწეული დახმარებისათვის გვსურს დიდი მადლიერება გამოვხატოთ BP-ის თანამშრომლების: ისმაილ მირიევის, ელნარა ჰუსეინოვასა და ნინო ერქომაიშვილის მიმართ. ისინი თავდაუზოგავად გვედგნენ მხარში და ყველანაირად გვიწყობდნენ ხელს, რათა ჩვენთვის ხელმისაწვდომი გამხდარიყო არა მარტო მასალები, არამედ, მათ შესახებ მეცნიერთა მიერ გამოთქმული მოსაზრებანიც. მათმა დახმარებამ, საქმის კოორდინაციამ და პროფესიულმა შენიშვნებმა დიდწილად გააუმჯობესა ამ წიგნის შინაარსი და ხარისხი.

The Smithsonian's preparation of the AGT archive database (used for the development of this book and its website, and shared with our counterpart institutions in Azerbaijan, Georgia, and Turkey) has benefitted from the support and expertise of Dr. Najaf Museyibli and Ziya Hajili at the Azerbaijan National Academy of Sciences Institute of Archaeology and Ethnography; Dr. Malahat Farajova, Director of the Gobustan National Historical-Artistic Preserve; Dr. David Lordkipanidze, General Director of National Museum of Georgia and Dr. Mikheil Tsereteli of the Georgian National Museum; and Dr. Vakhtang Shatberashvili of the Georgian Archaeological Research Center; and many others. For help with Georgian archaeological data, visiting researcher Irakli Pipia (Tbilisi State University) brought to the Smithsonian in Washington his helpfulness, good humor and tireless translations of Georgian archaeological site reports. Guram Kvirkvelia, an esteemed Georgian archaeologist, also provided assistance. Besarion Maisuradze, the Deputy General Director for Science and Head of the Archaeological Research Center, was always supportive. Mrs. Nino Nadaraia helped edit the Georgian texts. Chingiz Samadzada, an Azerbaijani photographer, and Gabriel Salinker, photographer at the Georgian National Museum, supplied many of the images for this book. The Embassies of Azerbaijan, Georgia, and Turkey in Washington, D.C., also furnished outstanding photographs. Mikheil Tsereteli, Tamara Kokochashvili, Giorgi Mindorashvili, and Teimuraz Gotsadze, all from Georgia, along with Najaf Müseyibli, Malahat Farajova, and Ziya Hajili from Azerbaijan, visited Washington, D.C. for two weeks in October 2008 to participate in our international museum capacity building program. Each also had a role in helping to prepare this volume. Continuing correspondence with David Maynard also helped the project from its initial conceptualization to its completion.its completion.

სმითსონის ინსტიტუტში თავმოყრილი მასალის (რომელიც ამ წიგნისა და ვებგვერდის მოსამზადებლად აზერბაიჯანის, საქართველოსა და თურქეთის შესაბამისი დაწესებულებების დახმარებით შეგროვდა) დამუშავებაში დიდი წვლილი შეიტანეს: დოქტორმა ნაჯაფ მუსეიბლიმ და ზია ჰაჯილიმ (აზერბაიჯანის არქეოლოგიისა და ეთნოგრაფიის ინსტიტუტი), გობუსთანის ეროვნული ისტორიული ნაკრძალის დირექტორმა, დოქტორმა მალაჰათ ფარაჯოვამ, საქართველოს ეროვნული მუზეუმის გენერალურმა დირექტორმა პროფესორმა დავით ლორთქიფანიძემ, ასევე, მიხეილ წერეთელმა, (საქართველოს ეროვნული მუზეუმი), დოქტორმა ვახტანგ შატბერაშვილმა (საქართველოს არქეოლოგიური კვლევის ცენტრი) და მრავალმა სხვამ. საქართველოს არქეოლოგიური მასალის გააზრებაში დაგვეხმარა ირაკლი ფიფია, რომელმაც ქართული არქეოლოგიური ძეგლების გათხრების ანგარიშების თარგმანზე დაუღალავი მუშაობისას შესაშური იუმორის გრძნობაც გამოამჟღავნა. დახმარებისათვის მადლობას ვუხდით პატივცემულ ქართველ არქეოლოგს, დოქტორ გურამ კვირკველიას, აგრეთვე საქართველოს ეროვნული მუზეუმის არქეოლოგიის ცენტრის ხელმძღვანელს, დოქტორ ბესარიონ მაისურაძეს. ქართულ ტექსტზე გაწეული მუშაობისას სტილისტური შესწორებები შეიტანა დოქტორმა ნინო ნადარაიამ. ფოტოგრაფებმა, ჩინგიზ სამადზადემ (აზერბაიჯანი) და გაბრიელ სალნიკერმა (საქართველოს ეროვნული მუზეუმი) წიგნში შესული ფოტოების დიდი ნაწილი გადაიღეს. ფოტოები აგრეთვე მოგვაწოდეს საქართველოს, აზერბაიჯანისა და თურქეთის საელჩოებმა ვაშინგტონში. 2008 წლის ოქტომბერში შესაძლებლობათა გაზრდის ორკვირიან საერთაშორისო შეხვედრაში მონაწილეობა მიიღეს: მიხეილ წერეთელმა, თამარ კოკოჩაშვილმა, გიორგი მინდორაშვილმა, თეიმურაზ გოცაძემ (საქართველო), ნაჯაფ მუსეიბლიმ, მალაჰათ ფარაჯოვამ და ზია ჰაჯილიმ (აზერბაიჯანი). ყველა მათგანმა საგრძნობი წვლილი შეიტანა ამ წიგნის გამოცემაში. კონცეპტუალური საკითხების შემუშავებასა და მის საბოლოო შესრულებაში განსაკუთრებული როლი ითამაშა დევიდ მეინარდთან მიმოწერამ.

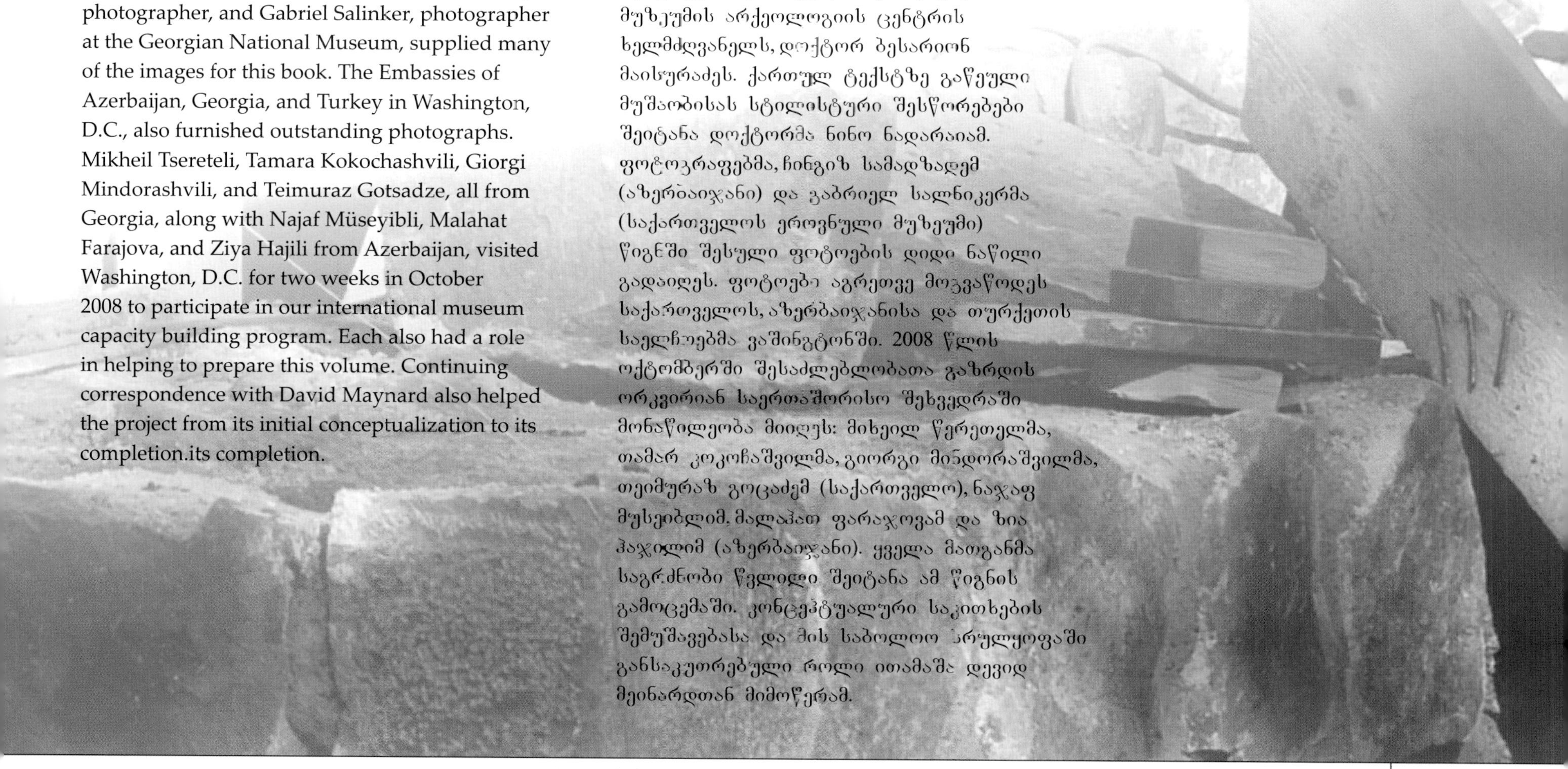

All the authors sincerely thank Dr. Süleyman Yücel Şenyurt of Gazi University for his detailed and helpful comments as a peer reviewer for the Turkish sites and text and Dr. Vakhtang Shatberashvili for his careful review of the entire text. The Smithsonian team (Paul Michael Taylor, Christopher R. Polglase, Jared M. Koller, and Troy A. Johnson) extend our thanks to Dr. Najaf Museyibli of Baku's Institute of Archaeology and Ethnography, who joined us as co-author. This co-authorship is even more appropriate since the synthesizing efforts of all the authors derive, in the case of the Azerbaijani data, from largely unpublished field reports prepared by the institute represented by Dr. Najaf Museyibli. This book's content reflects our collegial understanding that, even though the periodization of history and the interpretation of specific archeological facts may vary within each country's traditions of scholarship, we all gain much from attempting to share and synthesize data across borders in ways that reflect and build our shared understanding.

Within the Smithsonian Institution, many merit our gratitude. Gregory P. Shook, Samantha Grauberger, and Lance Costello helped organize the October 2008 international museum capacity building program. Michael Tuttle, Webmaster of the Smithsonian Institution, along with Jared M. Koller, developed the website associated with this volume, a process that elicited numerous ideas later incorporated into this book. Christopher Lotis and Whitney Watriss meticulously copyedited the text. We benefited from the assistance of numerous other colleagues including Yeonkyung Bae, Delores Clyburn, Catherine Fletcher, Halina Izdebska, Daniele Lauro, Matt McInnes, Mark Mulder, Ian Parker, Zaborian Payne, Robert Pontsioen, Michelle Reed, Nancy Shorey, William Bradford Smith, Karen Sulmonetti, Saw Sandi Tun, and Janet Yoo.

ავტორები დიდ მადლობას უხდიან დოქტორ სულეიმან იუსელ სენიურთს (გაზის უნივერსიტეტი) თურქული ძეგლების შესახებ ტექსტის დეტალური რედაქტირებისა დაკომენტირებისათვის, ასევე დოქტორ ვახტანგ შატბერაშვილს, რომელმაც ტექსტის რედაქტირებაში მიიღო მონაწილეობა. სმითსონის ინსტიტუტის გუნდი (პოლ მაიკლ ტეილორი, ქრისტოფერ რ. ფოლგლესის ჯარედ მ. კოლერი, თროი ა. ჯონსონი) განსაკუთრებულ მადლობას უხდის დოქტორ ნაჯაფ მუსეიბლის თანაავტორობისათვის. მართალია, ამ სამი ქვეყნის მეცნიერების შეხედულებები სპეციფიურ არქეოლოგიური საკითხების ინტერპრეტაცია საკმაოდ განსხვავებულია, მაგრამ ჩვენ შევეცადეთ ეს მონაცემები გარკვეულწილად შეგვეჯერებინა, რათა ამ წიგნში ჩვენი საერთო მიდგომები ასახულიყო.

გვინდა დიდი მადლიერება გამოვხატოთ სმითსონის ინსტიტუტის თანამშრომლების მიმართ. 2008 წელს, მუზეუმების "შესაძლებლობათა ზრდის" საერთაშორისო შეხვედრის პროგრამის მომზადებაში დიდი წვლილი შეიტანეს გრეგორი პ. შუკმა, სამანტა გრაუბერმა და ლანს კოსტელომ. სმითსონის ინსტიტუტის ვებმასტერმა, მაიკლ თუთლმა ჯარედ კოლერთან ერთად ამ პუბლიკაციის ვებგვერდი შეადგინა, რომელზე მუშაობისას ამ წიგნში შესული არაერთი იდეის ავტორიც აღმოჩნდა. ქრისტოფერ ლოთისი და უიტნი უორისი დაუღალავად მუშაობდნენ ტექსტის რედაქტირებასა და კორექტურაზე. იეონ-კუნგ ბაი, დელორეს კლიბერნი, ქეთრინ ფლეტჩერი, ჰალინა იზდებსკა, ანიელ ლაურო, მეთ მაკინსი, მარკ მულდერი, იან პარკერი, ზაბორიან პეინი, რობერტ პონტსიოენი, მიშელ რიდი, ნანსი შორი, უილიამ ბრედფორდ სმითი, კარენ სულმონეტი, სავ სანდი თუნი და ჯანეტ იო – ეს ის ხალხია, რომელთაგანაც ჩვენ ფასდაუდებელი დახმარება მივიღეთ.

Finally, appreciation and thanks go to Dr. Carole Neves, director of the Smithsonian's Office of Policy and Analysis, who played a vital role in introducing many of us to the Caucasus and who edited the text. Her commitment to the project and her comments, insights, and suggestions were of particular importance to the book's successful completion.

და ბოლოს, განსაკუთრებული მადლობა გვინდა ვუთხრათ სმითსონის ინსტიტუტის პოლიტიკისა და ანალიზის ოფისის ხელმძღვანელს, დოქტორ ქეროლ ნევესს, რომელმა ბევრ ჩვენგანს გააცნო კავკასია და რომელიც ამ წიგნის რედაქტორია. პროექტისადმი მისმა ერთგულებამ, ხედვამ, წინადადებებმა და შენიშვნებმა წიგნის წარმატებით გასრულების საქმეში უმნიშვნელოვანესი როლი შეასრულა.

Photo credits

Unless otherwise noted, all photographs in this book were provided by BP Exploration Caspian Sea Ltd., whose extensive photographs of cultural heritage efforts form a major portion of the photographic archive assembled under the Smithsonian's Azerbaijan-Georgia-Turkey (AGT) project, along with contributions from the Institute of Archaeology and Ethnography (Baku, Azerbaijan), Gobustan National Historical-Artistic Preserve (Baku, Azerbaijan), and the Georgian National Museum (Tbisili, Georgia). The Embassies of the Republic of Georgia (pp. 26, 40, 44-45, 80-81, 100, 104-105), and the Republic of Turkey (pp.10-11, 18-19, 26, 46-47, 107-111, 114, 118-119), the Smithsonian Institution (p. 194-195), Azerbaijan National Academy of Sciences Institute of Archaeology and Ethnography (p. 65) and Christopher R. Polglase (pp. 35, 41{on left}, 148) also contributed photographs.

ფოტომასალა

ამ წიგნში შესული ყველა ფოტო, თუკი მას სპეციალური ნიშანი არ ახლავს, BP Exploration Caspian Sea Ltd–ის მიერაა მოწოდებული. კულტურული მემკვიდრეობის ამსახველი ფოტომასალა ამ ფოტოარქივის ძირითადი ფონდია და სმითსონის ინსტიტუტის პროექტის – AGT-ის (აზერბაიჯანი – საქართველო – თურქეთი) შემადგენელი ნაწილია. ამ მასალას ერთვის ბაქოს ეთნოგრაფიისა და არქეოლოგიის ინსტიტუტის გობუსთანის ხელოვნებისა და ისტორიის ეროვნული ნაკრძალისა და საქართველოს ეროვნული მუზეუმის მიერ გადმოცემული ფოტოები. აქვეა საქართველოსა (გვ. 26, 40, 44-45, 106) და თურქეთის რესპუბლიკის (გვ. 10-11, 18-19, 27, 46-47, 104, 113, 115, 117, 120, 122-123) საელჩოების, სმითსონის ინსტიტუტის, ვაშინგტონის კონგრესის ბიბლიოთეკისა და ქრისტოფერ რ. ფოლგლეისის მიერ მოწოდებული ფოტომასალაც (გვ 35, 41, 146, 188-189).

Site Report Citations

Agdash (Azerbaijan, KP 194/200)
Mustafayev, Mikayil. 2006. *Agdash: Excavations of an Antique Period Jar Grave.* Baku.

Agili Dere (Azerbaijan, KP 358)
Huseynov, Fuad. 2007. *Excavations of Agili Dere Settlement Site.* Baku.

Akmezer (Turkey, KP 429)
Görür, Muhammet; Ekmen, Hamza. 2005. *Akmezer: A Hellenistic and Medieval Settlement in Cayirli.* Ankara: Gazi University Research Center for Archaeology.

Amirarkh (Azerbaijan, KP 204)
Huseynov, Muzaffar; Jalilov, Bakhtiyar. 2006. *Amirarkh: Excavations of an Antique Period Wooden Coffin Grave.* Baku.

Ashagi Kechili (Azerbaijan, KP 332.5)
Dostiyev, Tarikh. 2007. *Archaeological Work at Ashagi Kechili Settlement Site.* Baku.

Asrikchai (Azerbaijan, KP 377)
Museyibli, Najaf; Jalilov, Bakhtiyar; Agayev, Gahraman. 2007. *Excavations of Asrikchai Settlement Site.* Baku.

Atskuri Winery (Georgia, KP 211/212)
Licheli, Vakhtang ; Rcheulishvili, Giorgi; Kasradze, Merab; Rusishvili, R.; Kalandadze, Nino; Papuashvili, Nana; Kazakhishvili, L.; Gobejishvili, Gela. 2007. *Archaeological Investigation at Site IV-266/320, KP211/212, Atskuri Village, Akhaltsikhe Region.* Tbilisi, Otar Lordkipanidze Centre of Archaeology of the Georgian National Museum.

Borsunlu Kurgan (Azerbaijan, KP 272)
Qoşqarli, Qoşqar; Müseyibli, Nəcəf; Aşurov, Səfər. 2003. *Borsunlu Kurqani.* Baku, Elm Press.

Boyuk Kasik (Azerbaijan, KP 438)
Müseyibli, Nəcəf; Huseynov, Muzaffar. 2008. *Boyuk Kasik Report: On Excavations of Boyuk Kasik Settlement at Kilometre Point 438 of Baku-Tbilisi-Ceyhan and South Caucasus Pipelines Right Of Way* Baku.

არქეოლოგიური გათხრების ანგარიშები

აგდაში (აზერბაიჯანი, KP 194/200)
Mustafayev, Mikayil. 2006. *Agdash: Excavations of an Antique Period Jar Grave.* Baku.

აგილი დერე (აზერბაიჯანი, KP 358)
Huseynov, Fuad. 2007. *Excavations of Agili Dere Settlement Site.* Baku.

აქმეზერი (თურქეთი, KP 429)
Görür, Muhammet; Ekmen, Hamza. 2005. *Akmezer: A Hellenistic and Medieval Settlement in Cayirli.* Ankara: Gazi University Research Center for Archaeology.

ამირარხი (აზერბაიჯანი, KP 204)
Huseynov, Muzaffar; Jalilov, Bakhtiyar. 2006. *Amirarkh: Excavations of an Antique Period Wooden Coffin Grave.* Baku.

აშაგი ქეჩილი (აზერბაიჯანი, KP 332.5)
Dostiyev, Tarikh. 2007. *Archaeological Work at Ashagi Kechili Settlement Site.* Baku.

ასრიკჩაი (აზერბაიჯანი, KP 377)
Museyibli, Najaf; Jalilov, Bakhtiyar; Agayev, Gahraman. 2007. *Excavations of Asrikchai Settlement Site.* Baku.

აწყური (საქართველო, KP 211/212)
Licheli, Vakhtang ; Rcheulishvili, Giorgi; Kasradze, Merab; Rusishvili, R.; Kalandadze, Nino; Papuashvili, Nana; Kazakhishvili, L.; Gobejishvili, Gela. 2007. *Archaeological Investigation at Site IV-266/320, KP211/212, Atskuri Village, Akhaltsikhe Region.* Tbilisi, Otar Lordkipanidze Centre of Archaeology of the Georgian National Museum.

ბორსუნლუს ყორღანი (ზერბაიჯანი, KP 272)
Qoşqarli, Qoşqar; Müseyibli, Nəcəf; Aşurov, Səfər. 2003. *Borsunlu Kurqani.* Baku, Elm Press.

ბიუქ ქაშიქი (ზერბაიჯანი, KP 438)
Müseyibli, Nəcəf; Huseynov, Muzaffar. 2008. *Boyuk Kasik Report: On Excavations of Boyuk Kasik Settlement at Kilometre Point 438 of Baku-Tbilisi-Ceyhan and South Caucasus Pipelines Right Of Way* Baku, Nafta Press.

Büyükardıç (Turkey, KP 270)
Şenyurt, S. Yücel. 2005. *Büyükardıç: An Early Iron Age Hilltop Settlement in Eastern Anatolia*. Ankara: Gazi University Research Center for Archaeology.

Chaparli (Azerbaijan, KP 335/336)
Aşurov, Səfər. 2008. *Chaparli Report: On Excavations of Late Antique and Early Medieval Period Chapel, Settlement and Burial Site at Kilometre Points 335/336 of Baku-Tbilisi-Ceyhan and South Caucasus Pipelines Right Of Way*. Baku.

Chivchavi Gorge Site (Georgia, KP 087)
Heritage Protection Department of Georgia. 2003. *Study of the Monuments within Baku-Tbilisi-Ceyhan Pipeline Route Corridor: Phase III. Report.* Tbilisi, Otar Lordkipanidze Centre of Archaeology of the Georgian National Museum.

Dashbulaq (Azerbaijan, KP 342)
Hajafov, Shamil; Huseynov, Muzaffar; Jalilov, Bakhtiyar. 2007. *Dashbulag Report: On Excavations of Dashbulag Settlement at Kilometre Point 342 of Baku-Tbilisi-Ceyhan and South Caucasus pipelines Right Of Way*. Baku.

Eli Baba (Georgia, KP 116)
Narimanashvili, Goderdzi. 2004. *Preliminary Report on Field Excavations of Tsalka – Trialeti Archaeological Expedition for the Season 2003 on Eli-Baba (Sabechdavi) Cemetery.*Tbilisi, Otar Lordkipanidze Centre of Archaeology of the Georgian National Museum.

Fakhrali (Azerbaijan, KP 289)
Jalilov, Bakhtiyar; Kvachidze, Viktor. 2007. *Excavations of Fakhrali Settlement*. Baku.

Garajamirli I & II (Azerbaijan, KP 321/323.57)
Agayev, Gahraman. 2006. *Excavations of Garajamirli I Settlement Site*. Baku.

Dostiyev, Tarikh. 2007. *Excavations of Garajamirli II Settlement*. Baku,

Girag Kasaman (Azerbaijan, KP 405/406)
Dostiyev, Tarikh; Kvachidze, Viktor; Huseynov, Muzaffar. 2007. *Girag Kasaman Report: On Excavations of Girag Kasaman Settlement at Kilometre Point 405 of Baku-Tbilisi-Ceyhan and South Caucasus pipelines Right Of Way*. Baku.

ბუიუქარდიჩი (თურქეთი, KP 270)
Şenyurt, S. Yücel. 2005. *Büyükardıç: An Early Iron Age Hilltop Settlement in Eastern Anatolia*. Ankara: Gazi University Research Center for Archaeology.

ჩაპარლი (აზერბაიჯანი, KP 335/336)
Aşurov, Səfər. 2008. *Chaparli Report: On Excavations of Late Antique and Early Medieval Period Chapel, Settlement and Burial Site at Kilometre Points 335/336 of Baku-Tbilisi-Ceyhan and South Caucasus Pipelines Right Of Way*. Baku.

ჭივჭავის ხეობა (საქართველო, KP 087)
Heritage Protection Department of Georgia. 2003. *Study of the Monuments within Baku-Tbilisi-Ceyhan Pipeline Route Corridor: Phase III. Report.* Tbilisi, Otar Lordkipanidze Centre of Archaeology of the Georgian National Museum.

დაშბულაქი (აზერბაიჯანი, KP 342)
Hajafov, Shamil; Huseynov, Muzaffar; Jalilov, Bakhtiyar. 2007. *Dashbulag Report: On Excavations of Dashbulag Settlement at Kilometre Point 342 of Baku-Tbilisi-Ceyhan and South Caucasus pipelines Right Of Way*. Baku.

ელი ბაბა (საქართველო, KP 116)
Narimanashvili, Goderdzi. 2004. *Preliminary Report on Field Excavations of Tsalka – Trialeti Archaeological Expedition for the Season 2003 on Eli-Baba (Sabechdavi) Cemetery.*Tbilisi, Otar Lordkipanidze Centre of Archaeology of the Georgian National Museum.

ფახრალი (აზერბაიჯანი, KP 289)
Jalilov, Bakhtiyar; Kvachidze, Viktor. 2007. *Excavations of Fakhrali Settlement*. Baku.

ყარაჯამირლი I & II (აზერბაიჯანი, KP 321/323.57)
Agayev, Gahraman. 2006. *Excavations of Garajamirli I Settlement Site*. Baku.

Dostiyev, Tarikh. 2007. *Excavations of Garajamirli II Settlement*. Baku.

გირაგ ქასამანი (აზერბაიჯანი, KP 405/406)
Dostiyev, Tarikh; Kvachidze, Viktor; Huseynov, Muzaffar. 2007. *Girag Kasaman Report: On Excavations of Girag Kasaman Settlement at Kilometre Point 405 of Baku-Tbilisi-Ceyhan and South Caucasus pipelines Right Of Way*. Baku.

Müseyibli, Nəcəf; Kvachidze, Viktor; Najafov, Shamil. 2008. *Girag Kasaman II Report: On Excavations of Girag Kasaman II Site at Kilometre Point 406 of Baku-Tbilisi-Ceyhan and South Caucasus pipelines Right Of Way*. Baku.

Güllüdere (Turkey, KP 354)
Şenyurt, S. Yücel; İbiş, Resul. 2005. *Güllüdere: An Iron Age and Medieval Settlement in Askale Plain*. Ankara: Gazi University Research Center for Archaeology.

Hajialili I, II & III (Azerbaijan, KP 300.98/301/302)
Dostiyev, Tarikh. 2006. *Excavations of Hajialili I Settlement*. Baku.

Mammadov, Arif; Agayev, Gahraman. 2006. *Excavations of Hajialili II Settlement*. Baku.

Dostiyev, Tarikh; Mammadov, Arif. 2008. *Excavations of Hajialili III Settlement*. Baku.

Hasansu Kurgan (Azerbaijan, KP 398.8)
Müseyibli, Nəcəf; Huseynov, Muzaffar; Jalilov, Bakhtiyar. 2007. *Hasansu Necropolis Report: On Excavations of Hasansu Necropolis at Kilometre Point 398.8 of Baku-Tbilisi-Ceyhan and South Caucasus pipelines Right Of Way*. Baku.

Müseyibli, Nəcəf. 2007. *Hasansu Kurgan Report: On Excavations of Hasansu Kurgan at Kilometre Point 399 of Baku-Tbilisi-Ceyhan and South Caucasus pipelines Right Of Way*. Baku.

Jinisi (Georgia, KP 136)
Kavavdze, Eliso. *Report on the palynological study of the material revealed as a result of the field works by the tsalka (kp 107-119; 136) archeological expedition.*

Narimanishvili, G.; Amiranashvili, J. 2005. *Report of the Trialeti Archaeological Expedition of 2004 2-36*. Tbilisi, Otar Lordkipanidze Centre of Archaeology of the Georgian National Museum.

Kayranlıkgözü (Turkey, KP 922)
Görür, Muhammet. 2005. *Kayranlık: A Roman Bath in Eastern Kilikia*. Ankara: Gazi University Research Center for Archaeology.

Khojakhan (Azerbaijan, KP 361)
Huseynov, Muzaffar; Jalilov, Bakhtiyar. 2007. *Excavations of Khojakhan Settlement*. Baku.

Müseyibli, Nəcəf; Kvachidze, Viktor; Najafov, Shamil. 2008. *Girag Kasaman II Report: On Excavations of Girag Kasaman II Site at Kilometre Point 406 of Baku-Tbilisi-Ceyhan and South Caucasus pipelines Right Of Way*. Baku.

გულუდერე (თურქეთი, KP 354)
Şenyurt, S. Yücel; İbiş, Resul. 2005. *Güllüdere: An Iron Age and Medieval Settlement in Askale Plain*. Ankara: Gazi University Research Center for Archaeology.

ჰაჯიალილი I, II & III (აზერბაიჯანი, KP 300.98/301/302)
Dostiyev, Tarikh. 2006. *Excavations of Hajialili I Settlement*. Baku.

Mammadov, Arif; Agayev, Gahraman. 2006. *Excavations of Hajialili II Settlement*. Baku.

Dostiyev, Tarikh; Mammadov, Arif. 2008. *Excavations of Hajialili III Settlement*. Baku.

ჰასანსუს ყორღანი (აზერბაიჯანი, KP 398.8)
Müseyibli, Nəcəf; Huseynov, Muzaffar; Jalilov, Bakhtiyar. 2007. *Hasansu Necropolis Report: On Excavations of Hasansu Necropolis at Kilometre Point 398.8 of Baku-Tbilisi-Ceyhan and South Caucasus pipelines Right Of Way*. Baku.

Müseyibli, Nəcəf. 2007. *Hasansu Kurgan Report: On Excavations of Hasansu Kurgan at Kilometre Point 399 of Baku-Tbilisi-Ceyhan and South Caucasus pipelines Right Of Way*. Baku.

ჯინისი (საქართველო, KP 136)
Kavavdze, Eliso. *Report on the palynological study of the material revealed as a result of the field works by the tsalka (kp 107-119; 136) archeological expedition.*

Narimanishvili, G.; Amiranashvili, J. 2005. *Report of the Trialeti Archaeological Expedition of 2004 2-36*. Tbilisi, Otar Lordkipanidze Centre of Archaeology of the Georgian National Museum.

ყაირანლიკგოზლი (თურქეთ, KP 922)
Görür, Muhammet. 2005. *Kayranlık: A Roman Bath in Eastern Kilikia*. Ankara: Gazi University Research Center for Archaeology.

ხოჯახანი (აზერბაიჯანი, KP 361)
Huseynov, Muzaffar; Jalilov, Bakhtiyar. 2007. *Excavations of Khojakhan Settlement*. Baku.

Klde (Georgia, KP 225)
Gambashidze, Irine; Mindiashvili, Giorgi. 2006. *Archaeological Excavations at the Klde Settlement and Cemetery, Report.* Tbilisi, Otar Lordkipanidze Centre of Archaeology of the Georgian National Museum.

Khunan (Azerbaijan, KP 380)
Museyibli, Najaf. 2007. *On Excavations of Khunan Settlement Conducted within BTC and SCP ROW at KP 380.* Baku.

Kodiana Kurgan (Georgia, KP 193)
Gambashidze, Irine; Gogochuri, Giorgi. 2004. *Report on Archaeological Excavations Carried out by an Archaeological Expedition of Borjomi District in July-August.* Tbilisi, Otar Lordkipanidze Centre of Archaeology of the Georgian National Museum.

Ktsia Valley Site (Georgia, KP 165)
Gambashidze, Irine. 2005. *Ktsia Valley Ancient Settlement Site KP 165, Report.* Tbilisi, Otar Lordkipanidze Centre of Archaeology of the Georgian National Museum.

Lak I & II (Azerbaijan, KP 298/300)
Dostiyev, Tarikh. 2007. *Excavations of Lak I Settlement.* Baku.

Agayev, Gahraman. 2007. *Excavations of Lak II Early Medieval Settlement.* Baku.

Minnetpinari (Turkey, KP 986)
Tekinalp, V. Macit. 2005. *Minnetpinari: A Medieval Settlement in Eastern Kilikia.* Ankara: Gazi University Research Center for Archaeology.

Nachivchavebi Site (Georgia, KP 085)
Shatberashvili, Zebede; Amiranashvili, Juansher; Gogochuri, Giorgi; Mindorashvili, David; Grigolia, Guram; Nikolaishvili, Vakhtang. 2005. *Works of Tetritsqaro Archaeological Expedition in 2003-2004.* Tbilisi, Otar Lordkipanidze Centre of Archaeology of the Georgian National Museum.

Narimankand (Azerbaijan, KP 234/237)
Agayev, Gahraman; Ashurov, Safar. 2007. *Narimankand: Excavations of Earth Graves of Developed Iron Age Date.* Baku.

Mustafayev, Mikayil. 2006. *Narimankand: Excavations of Antique Period Jar Graves.* Baku.

კლდე (საქართველო, KP 225)
Gambashidze, Irine; Mindiashvili, Giorgi. 2006. *Archaeological Excavations at the Klde Settlement and Cemetery, Report.* Tbilisi, Otar Lordkipanidze Centre of Archaeology of the Georgian National Museum.

ხუნანი (აზერბაიჯანი, KP 380)
Museyibli, Najaf. 2007. *On Excavations of Khunan Settlement Conducted within BTC and SCP ROW at KP 380.* Baku.

კოდიანას ყორღანი (საქართველო, KP 193)
Gambashidze, Irine; Gogochuri, Giorgi. 2004. *Report on Archaeological Excavations Carried out by an Archaeological Expedition of Borjomi District in July-August.* Tbilisi, Otar Lordkipanidze Centre of Archaeology of the Georgian National Museum.

ქციის ველის ნამოსახლარი (საქართველო, KP 165)
Gambashidze, Irine. 2005. *Ktsia Valley Ancient Settlement Site KP 165, Report.* Tbilisi, Otar Lordkipanidze Centre of Archaeology of the Georgian National Museum.

ლაკ I & II (აზერბაიჯანი, KP 298/300)
Dostiyev, Tarikh. 2007. *Excavations of Lak I Settlement.* Baku.

Agayev, Gahraman. 2007. *Excavations of Lak II Early Medieval Settlement.* Baku.

მინეტპინარი (თურქეთი, KP 986)
Tekinalp, V. Macit. 2005. *Minnetpinari: A Medieval Settlement in Eastern Kilikia.* Ankara: Gazi University Research Center for Archaeology.

ნაჭივჭავები (საქართველო, KP 085)
Shatberashvili, Zebede; Amiranashvili, Juansher; Gogochuri, Giorgi; Mindorashvili, David; Grigolia, Guram; Nikolaishvili, Vakhtang. 2005. *Works of Tetritsqaro Archaeological Expedition in 2003-2004.* Tbilisi, Otar Lordkipanidze Centre of Archaeology of the Georgian National Museum.

ნარიმანკანდი (აზერბაიჯანი, KP 234/237)
Agayev, Gahraman; Ashurov, Safar. 2007. *Narimankand: Excavations of Earth Graves of Developed Iron Age Date.* Baku.

Mustafayev, Mikayil. 2006. *Narimankand: Excavations of Antique Period Jar Graves.* Baku.

Orchosani (Georgia, KP 249)
Baramidze, Malkhaz; Jibladze, Leri; Todua, Temur; Orjonikidze, Alexander. 2007. *Comprehensive Technical Report on Archaeological Investigations at the Orchosani Site IV-323 KP 249*. Tbilisi: Otar Lortkipanidze Archaeological Centre of the National Museum of Georgia.

Baramidze, M.; Jibladze, L.; Todua, T.; Orjonikidze, Al. 2006. *Orchosani Remnant of the Settlement and Necropolis*. Tbilisi.

Baramidze, M.; Pkhakadze, G. 2004. *Report of Akhaltsikhe Archaeological Works of 2003 (September-October)*. Tbilisi: Georgian Academy of Sciences.

Poylu I & II (Azerbaijan, KP 408.8/409.1/409.2)
Müseyibli, Nəcəf. 2008. *Poylu II Report: On Excavations of Poylu II Settlement at Kilometre Point 408.8 of Baku-Tbilisi-Ceyhan and South Caucasus pipelines Right Of Way*. Baku.

Najafov, Shamil. 2006. *Poylu I Report: On Excavations of Multilayer Settlement at Kilometre Point 409.1 of Baku-Tbilisi-Ceyhan and South Caucasus pipelines Right Of Way*. Baku.

Müseyibli, Nəcəf. 2006. *Poylu Report: On Excavations of Late Medieval Settlement at Kilometre Point 409.2 of Baku-Tbilisi-Ceyhan and South Caucasus pipelines Right Of Way*. Baku.

Sakire Fortress (Georgia, KP 199)
Gambashidze, Irine; Gogochuri, Giorgi. 2007. *Archaeological Investigations at Site IV-338, KP199, Sakire Village, Borjomi District*. Tbilisi, Otar Lordkipanidze Centre of Archaeology of the Georgian National Museum

Samedabad (Azerbaijan, KP 233)
Mustafayev, Mikayil. 2006. *Samedabad: Excavations of an Antique Period Earth Grave*. Baku.

Saphar-Kharaba (Georgia, KP 120)
Narimanishvili, Goderdzi; Amiranashvili, Juansher; Davlianidze, Revaz; Murvanidze, Bidzina; Shanshashvili, Nino; Kvachadze, Marine. 2003. *Report on Tsalka-Trialeti Archaeological Expedition Field Activities in September-November 2003*. Tbilisi, Otar Lordkipanidze Centre of Archaeology of the Georgian National Museum.

Sazpegler (Turkey, KP 040)
Tekinalp, Macit; Ekim, Yunus. 2005. *Sazpegler: A Medieval Settlement in North Eastern Anatolia*. Ankara: Gazi University Research Center for Archaeology.

ორჯოსანი (საქართველო, KP 249)
Baramidze, Malkhaz; Jibladze, Leri; Todua, Temur; Orjonikidze, Alexander. 2007. *Comprehensive Technical Report on Archaeological Investigations at the Orchosani Site IV-323 KP 249*. Tbilisi: Otar Lortkipanidze Archaeological Centre of the National Museum of Georgia.

Baramidze, M.; Jibladze, L.; Todua, T.; Orjonikidze, Al. 2006. *Orchosani Remnant of the Settlement and Necropolis*. Tbilisi.

Baramidze, M.; Pkhakadze, G. 2004. *Report of Akhaltsikhe Archaeological Works of 2003 (September-October)*. Tbilisi: Georgian Academy of Sciences.

ფოილუ (აზერბაიჯანი, KP 408.8/409.1/409.2)
Müseyibli, Nəcəf. 2008. *Poylu II Report: On Excavations of Poylu II Settlement at Kilometre Point 408.8 of Baku-Tbilisi-Ceyhan and South Caucasus pipelines Right Of Way*. Baku.

Najafov, Shamil. 2006. *Poylu I Report: On Excavations of Multilayer Settlement at Kilometre Point 409.1 of Baku-Tbilisi-Ceyhan and South Caucasus pipelines Right Of Way*. Baku.

Müseyibli, Nəcəf. 2006. *Poylu Report: On Excavations of Late Medieval Settlement at Kilometre Point 409.2 of Baku-Tbilisi-Ceyhan and South Caucasus pipelines Right Of Way*. Baku.

საკირე, (საქართველო, KP 199)
Gambashidze, Irine; Gogochuri, Giorgi. 2007. *Archaeological Investigations at Site IV-338, KP199, Sakire Village, Borjomi District*. Tbilisi, Otar Lordkipanidze Centre of Archaeology of the Georgian National Museum

სამედაბადი (აზერბაიჯანი, KP 233)
Mustafayev, Mikayil. 2006. *Samedabad: Excavations of an Antique Period Earth Grave*. Baku.

საფარ-ხარაბა (საქართველო, KP 120)
Narimanishvili, Goderdzi; Amiranashvili, Juansher; Davlianidze, Revaz; Murvanidze, Bidzina; Shanshashvili, Nino; Kvachadze, Marine. 2003. *Report on Tsalka-Trialeti Archaeological Expedition Field Activities in September-November 2003*. Tbilisi, Otar Lordkipanidze Centre of Archaeology of the Georgian National Museum.

საზპეგლერი (თურქეთი, KP 040)
Tekinalp, Macit; Ekim, Yunus. 2005. *Sazpegler: A Medieval Settlement in North Eastern Anatolia*. Ankara: Gazi University Research Center for Archaeology.

Seyidlar I & II (Azerbaijan, KP 316/318)
Huseynov, Muzaffar; Agayev, Gahraman; Ashurov, Safar. 2006. *Excavations of Seyidlar Settlement*. Baku.

Jalilov, Bakhtiyar. 2007. *Excavations of Seyidlar II Antique Period Settlement*. Baku.

Shamkirchai I & III (Azerbaijan, KP 332.7/333)
Museyibli, Najaf. 2008. *Excavations of Shamkirchai Kurgans*. Baku, Nafta Press.

Museyibli, Najaf. 2008. *Excavations of Shamkirchai Kurgans III*. Baku, .

Sinig Korpu (Azerbaijan, KP 357.7)
Huseynov, Fuad. 2007. *Excavations of Sinig Korpu Kurgan Burial*. Baku.

Skhalta (Georgia, KP 080)
Shatberashvili, Zebede; Nikolaishvili, Vakhtang ; Shatberashvili, Vakhtang. 2007. *Report of the Tetritsqaro Archaeological Expedition in* 2005. Tbilisi, Otar Lordkipanidze Centre of Archaeology of the Georgian National Museum.

Soyuqbulaq (Azerbaijan, KP 432)
Müseyibli, Nəcəf. 2008. *Soyugbulaq Report: On Excavations of Soyugbulaq Kurgans at Kilometre Point 432 of Baku-Tbilisi-Ceyhan and South Caucasus pipelines Right Of Way*. Baku.

Tadzrisi (Georgia, KP 201)
Elizbarashvili, Irina; Bochoidze, Merab. *Conservation and Restoration of the Church of St George at Tadzrisi Monastery.*

Erkomaishvili, Nino. 2008. *Tadzrisi Monastery Conservation Project.*

Heritage Protection Department of Georgia. 2003. *Study of the Monuments within Baku-Tbilisi-Ceyhan Pipeline Route Corridor: Phase III. Report.* Tbilisi, Otar Lordkipanidze Centre of Archaeology of the Georgian National Museum.

Tasmasor (Turkey, KP 299)
Şenyurt, S. Yücel. 2005. *Tasmasor: An Iron Age Settlement in Erzurum Plain*. Ankara: Gazi University Research Center for Archaeology.

Tetikom (Turkey, KP 292)
Şenyurt, S.Yücel; Ekmen, Hamza. 2005. *Tetikom: An Iron Age Settlement in Pasinler Plain*. Ankara: Gazi University Research Center for Archaeology.

სეიიდლარ I & II (აზერბაიჯანი, KP 316/318)
Huseynov, Muzaffar; Agayev, Gahraman; Ashurov, Safar. 2006. *Excavations of Seyidlar Settlement*. Baku.

Jalilov, Bakhtiyar. 2007. *Excavations of Seyidlar II Antique Period Settlement*. Baku.

შამკირჩაი I & III (აზერბაიჯანი, KP 332.7/333)
Museyibli, Najaf. 2008. *Excavations of Shamkirchai Kurgans*. Baku.

Museyibli, Najaf. 2008. *Excavations of Shamkirchai Kurgans III*. Baku.

სინიგ კორპუ (აზერბაიჯანი, KP 357.7)
Huseynov, Fuad. 2007. *Excavations of Sinig Korpu Kurgan Burial*. Baku.

სხალთა (საქართველო, KP 080)
Shatberashvili, Zebede; Nikolaishvili, Vakhtang ; Shatberashvili, Vakhtang. 2007. *Report of the Tetritsqaro Archaeological Expedition in* 2005. Tbilisi, Otar Lordkipanidze Centre of Archaeology of the Georgian National Museum.

სოიუქბულაქი (აზერბაიჯანი KP 432)
Müseyibli, Nəcəf. 2008. *Soyugbulaq Report: On Excavations of Soyugbulaq Kurgans at Kilometre Point 432 of Baku-Tbilisi-Ceyhan and South Caucasus pipelines Right Of Way*. Baku.

ტაძრისი (საქართველო, KP 201)
Elizbarashvili, Irina; Bochoidze, Merab. *Conservation and Restoration of the Church of St George at Tadzrisi Monastery.*

Erkomaishvili, Nino. 2008. *Tadzrisi Monastery Conservation Project.*

Heritage Protection Department of Georgia. 2003. *Study of the Monuments within Baku-Tbilisi-Ceyhan Pipeline Route Corridor: Phase III. Report.* Tbilisi, Otar Lordkipanidze Centre of Archaeology of the Georgian National Museum.

თასმასორი (თურქეთი, KP 299)
Şenyurt, S. Yücel. 2005. *Tasmasor: An Iron Age Settlement in Erzurum Plain*. Ankara: Gazi University Research Center for Archaeology.

ტეტიკომი (თურქეთი, KP 292)
Şenyurt, S.Yücel; Ekmen, Hamza. 2005. *Tetikom: An Iron Age Settlement in Pasinler Plain*. Ankara: Gazi University Research Center for Archaeology.

Tiselis Seri (Georgia, KP 203)
Gogochuri, G. 2005. *Archaeological Excavations at KP 203 – Tiselis Seri Kura-Araxes Site, Report*. Tbilisi, Otar Lordkipanidze Centre of Archaeology of the Georgian National Museum.

Gogochuri, George; Orjonikidze, Alexander. 2007. *Comprehensive Technical Report on Archaeological Investigations at Site IV-293 Tiselis Seri KP 203*. Tbilisi, Otar Lordkipanidze Centre of Archaeology of the Georgian National Museum.

Tkemlara Kurgan (Georgia, KP 088)
Shatberashvili, Z. 2003. *Works of the Tetritsqaro Archaeological Expedition in November-December 2002, Report*. Tbilisi, Otar Lordkipanidze Centre of Archaeology of the Georgian National Museum.

Shatberashvili, Z,; Amiranashvili, J.; Gogochuri, G.; Mindorashvili, D.; Grigolia, G.; Nikolaishvili, V. 2005. *Works of the Tetritsqaro Archaeological Expedition in November-December 2003-2004*. Tbilisi, Otar Lordkipanidze Centre of Archaeology of the Georgian National Museum.

Tovuzchai Necropolis (Azerbaijan, KP 378)
Müseyibli, Nəcəf; Agayev, Gahraman; Aşurov, Səfər; Aliyev, Idris; Huseynov, Muzaffar; Najafov, Shamil; Guliyev, Farhad. 2008. *Tovuzchai Necropolis Report: On Excavations of Tovuzchai Necropolis At Kilometre Point 378 of Baku-Tbilisi-Ceyhan and South Caucasus pipelines Right Of Way*. Baku.

Yadili (Azerbaijan, KP 241)
Farhad, Guliyev; Gahraman, Agayev. 2008. *Yaldili Report: On Excavations of Yaldili Jar Burial Site At Kilometre Point 241 of Baku-Tbilisi-Ceyhan and South Caucasus Pipelines Right Of Way*. Baku.

Yevlakh (Azerbaijan, KP 204/204.25)
Mikayil, Mustafayev. 2008. *Amirarkh Report: On Excavations of an Antique Period Jar Grave At Kilometre Point 204.25 of Baku-Tbilisi-Ceyhan and South Caucasus Pipelines Right Of Way*. Baku.

Yüceören (Turkey, KP 1069)
Şenyurt, S.Yücel; Akçay, Atakan; Kamiş, Yalçin. 2005. *Yüceören: A Hellenistic and Roman Necropolis in Eastern Kilikia*. Ankara: Gazi University Research Center for Archaeology.

Zayamchai Necropolis (Azerbaijan, KP 355/356)
Aşurov, Səfər. *Zayamchay Report: On Excavations of a Catacomb Burial At Kilometre Point 355 of Baku-Tbilisi-Ceyhan and South Caucasus pipelines Right Of Way*. Baku.

თისელის სერი (საქართველო, KP 203)
Gogochuri, G. 2005. *Archaeological Excavations at KP 203 – Tiselis Seri Kura-Araxes Site, Report*. Tbilisi, Otar Lordkipanidze Centre of Archaeology of the Georgian National Museum.

Gogochuri, George; Orjonikidze, Alexander. 2007. *Comprehensive Technical Report on Archaeological Investigations at Site IV-293 Tiselis Seri KP 203*. Tbilisi, Otar Lordkipanidze Centre of Archaeology of the Georgian National Museum.

ტყემლარას ყორღანი (საქართველო, KP 088)
Shatberashvili, Z. 2003. *Works of the Tetritsqaro Archaeological Expedition in November-December 2002, Report*. Tbilisi, Otar Lordkipanidze Centre of Archaeology of the Georgian National Museum.

Shatberashvili, Z,; Amiranashvili, J.; Gogochuri, G.; Mindorashvili, D.; Grigolia, G.; Nikolaishvili, V. 2005. *Works of the Tetritsqaro Archaeological Expedition in November-December 2003-2004*. Tbilisi, Otar Lordkipanidze Centre of Archaeology of the Georgian National Museum.

თოვუზჩაი (აზერბაიჯანი, KP 378)
Müseyibli, Nəcəf; Agayev, Gahraman; Aşurov, Səfər; Aliyev, Idris; Huseynov, Muzaffar; Najafov, Shamil; Guliyev, Farhad. 2008. *Tovuzchai Necropolis Report: On Excavations of Tovuzchai Necropolis At Kilometre Point 378 of Baku-Tbilisi-Ceyhan and South Caucasus pipelines Right Of Way*. Baku.

იადილი (აზერბაიჯანი, KP 241)
Farhad, Guliyev; Gahraman, Agayev. 2008. *Yaldili Report: On Excavations of Yaldili Jar Burial Site At Kilometre Point 241 of Baku-Tbilisi-Ceyhan and South Caucasus Pipelines Right Of Way*. Baku.

ევლახი (აზერბაიჯანი, KP 204/204.25)
Mikayil, Mustafayev. 2008. *Amirarkh Report: On Excavations of an Antique Period Jar Grave At Kilometre Point 204.25 of Baku-Tbilisi-Ceyhan and South Caucasus Pipelines Right Of Way*. Baku.

იექერონი (თურქეთი, KP 1069)
Şenyurt, S.Yücel; Akçay, Atakan; Kamiş, Yalçin. 2005. *Yüceören: A Hellenistic and Roman Necropolis in Eastern Kilikia*. Ankara: Gazi University Research Center for Archaeology.

ზაიამჩაი (აზერბაიჯანი, KP 355/356)
Aşurov, Səfər. *Zayamchay Report: On Excavations of a Catacomb Burial At Kilometre Point 355 of Baku-Tbilisi-Ceyhan and South Caucasus pipelines Right Of Way*. Baku.

Müseyibli, Nəcəf; Kvachidze, Viktor. 2006. *Zayamchay Cemetery Report: On Excavations of a Muslim Cemetery At Kilometre Point 356 of Baku-Tbilisi-Ceyhan and South Caucasus Pipelines Right Of Way.* Baku.

Ziyaretsuyu (Turkey, KP 714)
Ortaç, Meral. 2005. *Ziyaretsuyu: A Hellenistic Settlement in Upper Halys Valley.* Ankara: Gazi University Research Center for Archaeology.

Müseyibli, Nəcəf; Kvachidze, Viktor. 2006. *Zayamchay Cemetery Report: On Excavations of a Muslim Cemetery At Kilometre Point 356 of Baku-Tbilisi-Ceyhan and South Caucasus Pipelines Right Of Way.* Baku.

ზიარეტსუიუ (თურქეთი, KP 714)
Ortaç, Meral. 2005. *Ziyaretsuyu: A Hellenistic Settlement in Upper Halys Valley.* Ankara: Gazi University Research Center for Archaeology.

Recommended Reading

Азербайджанская Советская Энциклопедия. Баку,1976, стр.214.

Abdushelishvili, Malkhas G. 1984. "Craniometry of the Caucasus in the Feudal Period." *Current Anthropology* 25(4): 505-509.

Abich, H. 1851. "The Climatology of the Caucasus. Remarks upon the Country between the Caspian and Black Seas." *Journal of the Royal Geographical Society of London* 21: 1-12.

Akazawa,Takeru; Kenichi Aoki; Ofer Bar-Yosef. (ed.) 1998. *Neanderthals and Modern Humans in Western Asia.* New York: Plenum Press.

Akkieva, Svetlana. 2008. "The Caucasus: One or Many? A View from the Region." *Nationalities Papers* 36(2): 253-273.

Akurgal, Ekrem. 1978. Ancient *Civilizations and Ruins of Turkey: From Prehistoric Times until the End of the Roman Empire* [translated by John Whybrow and Mollie Emre]. Istanbul: Haşet Kitabevi.

Algaze, Guillermo. 1989. "The Uruk Expansion: Cross-Cultural Exchange in Early Mesopotamian Civilization." *Current Anthropology* 30: 571-608.

Allen, W.E.D. 1927. "New Political Boundaries in the Caucasus." *The Geographical Journal* 69(5): 430-441.

Allen, W.E.D. 1929. "The March-Lands of Georgia." *The Geographical Journal* 74(2): 135-156.

Allen, W.E.D. 1942. "The Caucasian Borderland." *The Geographical Journal* 99(5/6): 225-237.

Allen, W.E.D.; Paul Muratoff. 1953. *Caucasian Battlefields: A History of the Wars on the Turko-Caucasian Frontier (1828-1921).* New York: Cambridge University Press.

Allen, W.E.D. 1971. *A History of the Georgian People.* New York: Routledge & Kegan Paul.

Allsen, Thomas T. 2001. *Culture and Conquest in Mongol Eurasia.* New York, NY: Cambridge University Press.

Alpago-Novello, A.; V. Beridze; J. Lafontaine-Dosogne. 1980. *Art and Architecture in Medieval Georgia.* Louvain-la-Neuve.

Altstadt, Audrey L. 1992. *The Azerbaijani Turks: Power and Identity under Russian Rule.* Stanford: Hoover Institution Press.

Akurgal, Ekrem. 1978. *Ancient Civilizations and Ruins of Turkey: From Prehistoric Times until the End of the Roman Empire* [trans. John Whybrow and Mollie Emre]. Istanbul: Haşet Kitabevi.

Amichba, G. 1988. *Abkhazija i Abkhazy v Srednevekovykh Gruzinskikh Povestvovatel›nykh Istochnikakh [Abkhazia and the Abkhazians in Georgian Narrative Sources of the Middle Ages].* Tbilisi.

Amineh, Mehdi Parvizi; Henk Howeling (eds.) 2005. "Central Eurasia in Global Politics: Conflict, Security and Development (2nd Edition)". *International Studies in Sociology and Social Anthropology 92.* Leiden: Brill.

Amirkhanov, H. A.; M. V. Anikovitch; I. A. Borziak. 1993. "Problem of Transition from Mousterian to Upper Paleolithic on the Territory of Russian Plain and Caucasus." *L'Anthropologie* 97: 311-330.

Anderson, Andrew Runni. 1928. "Alexander at the Caspian Gates." *Transactions and Proceedings of the American Philological Association* 59: 130-163.

Anderson, J. G. C. 1922. "Pompey's Campaign against Mithradets." *The Journal of Roman Studies,* 12: 99-105.

Apakidze, A.; G. Kipiani; V. Nikolaishvili. 2004. "A Rich Burial from Mtskheta (Caucasian Iberia)." *Ancient West and East* 3(1), (ed. G. Tsetskladze).

Aruz, Joan; Ronald Wallenfels (eds.) 2003. *Art of the First Cities: the Third Millennium B.C. from the Mediterranean to the Indus.* New York: Metropolitan Museum of Art; New Haven: Yale University Press.

Ascher, Iver; Alexandra Patten; Denise Monczewski (eds.) 2000. "State Building and the Reconstruction of Shattered Societies: 1999 Caucasus Conference Report." *Berkeley Program in Soviet and Post-Soviet Studies,* Berkeley: UC Press, 1-51. Online: http://repositories.cdlib.org/iseees/bps/2000 02-conf.

Ash, Rhiannon. 1999. "An Exemplary Conflict: Tacitus' Parthian Battle Narrative ('Annals' 6.34-35)." *Phoenix* 53(1/2): 114-135.

Atıl, Esin. 1987. *The Age of Sultan Süleyman the Magnificent.* Washington: National Gallery of Art.

Aydin, Mustafa. 2004. "Foucault's Pendulum: Turkey in Central Asia and the Caucasus." *Turkish Studies* 5(2): 1-22.

Aydingun, Aysegul. 2002. "Creating, Recreating and Redefining Ethnic Identity: Ahıska/Meskhetian Turks in Soviet and Post-Soviet contexts." *Central Asian Survey* 21(2): 185-197.

Baddeley, John F. 1940. *The Rugged Flanks of Caucasus* (2 vols.). London: Humphrey Milford/Oxford University Press.

Balat, Mustafa. 2006. "The Case of Baku-Tbilisi-Ceyhan Oil Pipeline System: A Review." *Energy Sources* Part B (1): 117-126.

Balci, Bayram; Raoul Motika. 2007. "Islam in Post-Soviet Georgia." *Central Asian Survey* 26(3): 335-353.

Bar-Yosef, Ofer; Anna Belfer-Cohen; Daniel S. Adler. 2006. "The Implications of the Middle-Upper Paleolithic Chronological Boundary in the Caucasus to Eurasian Prehistory." *Anthropologie* 19(1): 49-60.

Bar-Yosef, Ofer. 2007. "The Archaeological Framework of the Upper Paleolithic Revolution." *Diogenes* 214: 3-18.

Barylski, Robert V. 1994. "The Russian Federation and Eurasia's Islamic Crescent." *Europe-Asia Studies* 46(3): 389-416.

Basilov, Vladimir N. (ed.) 1989. *Nomads of Eurasia* [trans. By Dana Levy and Joel Sackett]. Los Angeles: Natural History Museum of Los Angeles County, in association with University of Washington Press.

Basirov, Oric. 2001 "Evolution of the Zoroastrian Iconography and Temple Cults." *ANES* 38: 160-177.

Bates, Daniel G. 1973. *Nomads and Farmers: A Study of the Yörük of Southeastern Turkey.* Ann Arbor: University of Michigan.

Belykov, Boris. 1999. "The Caucasus: Marginal Notes from a Diary." *Iran and the Caucasus* 3(1999-2000): 367-374.

Benet, Sula. 1974. *Abkhasians: The Long-Living People of the Caucasus: Case Studies in General Anthropology.* Stanford University; New York: Holt, Reinhart & Winston, Inc.

Bolukbasi, Suha. 1998. "The Controversy over the Caspian Sea Mineral Resources: Conflict Perceptions, Clashing Interests." *Europe-Asia Studies* 50(3): 397-414.

Bonner, Arthur. 2005. "Turkey, the European Union and Paradigm Shifts." *Middle East Policy* 12(1): 44-71.

Bosworth, A.B. 1977. "Arrian and the Alani." *Harvard Studies in Classical Philology* 81: 217-255.

Boyle, Katie; Colin Renfrew; Marsha Levine (ed.) 2002. *Ancient Interactions: East and West in Eurasia.* Cambridge: Oxbow Books.

Bram, Chen. 1999. "Circassian Re-immigration to the Caucasus." in Weil, S. (ed.) *Routes and Roots: Emigration in a Global Perspective.* Jerusalem: Magnes: 205-222.

Braud, David. 1994. *Georgia in Antiquity: A History of Colchis and Transcaucasian Iberia, 550BC-562AD.* Oxford: Clarendon Press.

Braund, David. 2003. "Notes from the Black Sea and Caucasus: Arrian, Phlegon and Flavian Inscriptions." *Ancient Civilizations* 9(3-4): 175-191.

Bremmer, Jan N. 1998. "The Myth of the Golden Fleece." *Journal of Ancient and Near Eastern Religions* (JANER) 6: 9-38.

Brinton, Daniel G. 1895. "The Protohistoric Ethnography of Western Asia." *Proceedings of the American Philosophical Society* 34(147): 71-102.

Brodie, Neil. (ed.) 2006. *Archaeology, Cultural Heritage, and the Antiquities Trade.* Gainesville, FL: University Press of Florida.

Brook, Stephen. 1992. *Claws of the Crab: Georgia and Armenia in Crisis.* London: Sinclair-Stevenson.

Brown, Cameron S. 2002. "Observations from Azerbaijan." *MERIA* 6(4).

Bryer, Antony. 1988. *Peoples and Settlement in Anatolia and the Caucasus, 800-1900.* Farnham, UK: Ashgate Publishing Co.

Bullough, Vern L. 1963. "The Roman Empire vs. Persia, 363-502: A Study of Successful Deterrence." *Journal of Conflict Resolution* 7(1): 55-68.

Burney, C.A. 1958. "Eastern Anatolia in the Chalcolithic and Early Bronze Age." *Anatolian Studies* 8(1958): 157-209.

Burney, Charles; David Marshall Lang. 1971. *The Peoples of the Hills: Ancient Ararat and the Caucasus.* New York: Praeger.

Burton-Brown, T. 1951. *Excavations in Azarbaijan, 1948.* London: Murray.

BTC Company Turkey; British Institute at Ankara; Gazi University-ARCED. 2007. *A Pipeline through History.* Ankara: Baku-Tbilisi-Ceyhan Pipeline Company.

Burdett, A. L. (ed.) 1996. *Caucasian Boundaries: Documents and Maps, 1802-1946.* Slough, UK: Archive Editions.

Catford, J.C. 1977. "Mountain of Tongues: The Languages of the Caucasus." *Annual Review of Anthropology* 6: 283-314.

Chistyakov, D. A. 1985. *The Mousterian cultures of the Black Sea coast* (in Russian) [Dissertation (unpublished)]. St Petersburg.

Chubinashvili, G. 1940. *Sioni of Bilnisi (Investigation of History of Georgian Architecture).* Tbilisi.

Chubinashvili, T. 1965. *Kura-Araxes Culture.* Tbilisi.

Christian, David. 1998. *A History of Russia, Central Asia, and Mongolia.* Malden, MA: Blackwell Publishers.

Cohen, V. Y.; V. N. Stepanchu. 1999. "Late Middle and Early Upper Paleolithic Evidence from the East European Plain and Caucasus: A New Look at Variability, Interactions and Transitions." *Journal of World Prehistory* 13(3): 265-319.

Comneno, Maria Adelaide Lala. 1997 "Nestorianism in Central Asia during the First Millennium: Archaeological Evidence." *Journal of the Assyrian Academic Society* XI(1): 20-67.

Cornell, Svante E.; S. Frederick Starr. 2006. "The Caucasus: A Challenge for Europe." *Silk Road Paper* (June 2006): 1-87.

Corzine, Robert; Susan Glendinning; Baku-Tbilisi-Ceyhan (BTC) Pipeline Company. 2006. *BTC.* Baku: Digiflame Productions, "for the BTC Pipeline Company."

Crecelius, Daniel; Gotcha Djaparidze. 2002. "Relations of the Georgian Mamluks of Egypt with their Homeland in the Last Decades of the Eighteenth Century." *JESHO* 45(3): 320-341.

Cruz-Uribe, Eugene. 2003. "Qanats in the Achaemenid Period." *Bibliotheca Orientalis* LX(5-6): 538-544.

Curtis. Glen E. (ed.) 1995. *Armenia, Azerbaijan, and Georgia: Country Studies.* Federal Research Division, Library of Congress. Washington, D.C.: Federal Research Division, Library of Congress.

Dale, Catherine. 1995. "Georgia: Development and Implications of the Conflicts in Abkhazia and South Ossetia." *Conflicts in the Caucasus in Conference.* Oslo: International Peace Research Institute.

Davis-Kimball, Jeanine; Vladimir A. Bashilov; Leonid T. Yablonsky (eds.) 1995. *Nomads of the Eurasian Steppes in the Early Bronze Age.* Berkeley, CA: Zinat Press.

Djaparidze, O. 2006. Kartveli eris etnogenezisis sataveebtan [At the beginning of Georgian ethnogenesis]. Tbilisi: Artanuji (in Georgian).

Джафарзаде, И. М. Гобустан. Баку, 1973

Djobadze, W. 1992. *Early Medieval Georgian Monasteries in Historic Tao, Klarjet'i and Šavšet'i.* Stuttgart.

Doronichev, Vladimir B. 2008. "The Lower Paleolithic in Eastern Europe and the Caucasus: A Reappraisal of the Data and New Approaches." *Paleoanthropology 2008*: 107-157.

Dowsett, C. J. F. 1957. "A Neglected Passage in the 'History of the Caucasian Albanians.'" *Bulletin of the School of Oriental and African Studies* 19(3): 456-468.

Dumas, Alexandre. 1895. *Tales of the Caucasus: The Ball of Snow and Sultanetta.* Boston: Little, Brown, and Company.

Dumitrescu, Vladimir. 1970. "The Chronological Relations between the Cultures of the Eneolithic Lower Danube and Anatolia and the Near East." *American Journal of Archaeology* 74(1): 43-50.

Edens, Christopher. 1995. "Transcaucasia at the End of the Early Bronze Age," *Bulletin of the American Schools of Oriental Research* 299/300, The Archaeology of Empire in Ancient Anatolia: 53-64.

Edens, Christopher. 1997. Review of: Chataigner, Christine. *La Transcaucasie au Néolithique et au Chalcolithique, Bulletin of the American Schools of Oriental Research.* 306: 89-91.

Edgar, Adrienne L. 2001. "Identities, Communities, and Nations in Central Asia: A Historical Perspective." Presentation from "Central Asia and Russia: Responses to the 'War on Terrorism.'" panel discussion held at the University of California, Berkeley on October 29, 2001, Institute of Slavic, East European, and Eurasian Studies; the Berkeley Program in Soviet and Post-Soviet Studies; the Caucasus and Central Asia Program; and the Institute of International Studies at UC Berkeley: 1-7.

Эфендиев, О. Азербайджанское государство Сефевидов в начале XVI века, Баку, 1981.

English, Patrick T. 1959. "Cushites, Colchians, and Khazars." *Journal of Near Eastern Studies* 18(1): 49-53.

Fərəcova, Mələhət N. [= Farajova, Malahat N.] and Azerbaijan. Mədəniyyət və Turizm Nazirliyi. 2009. Azərbaycan qayaüstü incəsənəti = Rock art of Azerbaijan. Baku: Aspoliqraf.

Ferguson, R. James. 2005. "Rome and Parthia: Power Politics and Diplomacy Across Cultural Frontiers." Centre for East-West Cultural and Economic Studies (CEWCES) *Research Paper*(12), December 2005. Bond University, AU. http://epublications.bond.edu.au/cewces papers/10

Foltz, Richard C. 2000. *Religions of the Silk Road: Overland Trade and Cultural Exchange from Antiquity to the Fifteenth Century.* New York: St. Martin's Press.

Frye, Richard N. 1972. "Byzantine and Sassanian Trade Relations with Northeastern Russia." *Dumbarton Oaks Papers* 26: 263-269.

Furlong, Pierce James. 2007. "Aspects of Ancient Near Eastern Chronology (c.1600-700 BC)." PhD Dissertation, University of Melbourne: 464.

Gabunia, Leo; Vekua, Abesalom; Lordkipanidze, David. 2000. "The Environmental Contexts of Early Human Occupation of Georgia (Transcaucasia). *Journal of Human Evolution* 38: 785-802.

Gagoshidze, I. 1979. *Samadlo, Archaeological Excavations.* Tbilisi.

Gambashidze, I.; A. Hauptmann; R. Slotta; U. Yalcin. 2001. Bochum, *Georgien – Schätze aus dem Land des Goldenen Vlies (Katalog der Ausstellung des Deutschen Bergbau-Museums Bochum).* Hrgs: 136-141.

Gamqrelidze, G.; M. Pirkskhalava; G. Qipiani. 2005. *Problems of the Military History of Ancient Georgia.* Georgia.

Gasanov, Magomed. 2001. "On Christianity in Dagestan." *Iran & the Caucasus* 5: 79-84.

Geiger, Bernhard; Tibor Halasi-Kun; Aert H. Kuipers; Karl H. Menges. *Peoples and Languages of the Caucasus. A Synopsis.* Mouton & Co.: Gravenhage, 1959.

Georgian National Museum. Otar Lordkipanidze Centre of Archaeology. 2010. Bako-T'bilisi-Jeihani Samxret' Kavkasiis Milsadeni da Ark'eologia Sak'art'veloši = Rescue archaeology in Georgia: the Baku-Tbilisi-Ceyhan and South Caucasian Pipelines. Tbisili: Georgian National Museum.

Giyasi, Jaffar. 1994. *Azerbaijan: Fortresses – Castles.* Baku: Interturan.

Glinika, Svetlana P.; Dorothy J. Rosenberg. 2003. "Social and Economic Decline as Factors in Conflict in the Caucasus." Discussion Paper No. 2003/18, United Nations University, World Institute for Development Economics Research (WIDER): 1-36.

Gobejishvili, G. 1981. *Bedeni Kurgan Culture*. Tbilisi.

Gogadze, E. 1972. *The Chronology and Genesis of the Trialeti Kurgan Culture*. Tbilisi.

Golovanova, L. V.; V. B. Doronichev. 2003. "The Middle Paleolithic of the Caucasus." *Journal of World Prehistory* 17 (1): 71-140.

Goluboff, Sacha L.; Samira Karaeva. 2006. "Azerbaijani Ethnography: Views from Inside and Outside." *Journal of the Society of the Anthropology of Europe* 5(1): 15-21.

Goluboff, Sacha L. 2008. "Patriarchy through Lamentation in Azerbaijan." *American Ethnologist* 35(1): 81-94.

Gorny, Ronald L. 1989. "Environment, Archaeology, and History in Hittite Anatolia." *The Biblical Archaeologist* 52(2/3): 78-96.

Grant, Bruce. 2004. "An Average Azeri Village (1930): Remembering Rebellion in the Caucasus Mountains." *Slavic Review* 63(4): 705-731.

Grant, Bruce. 2002. "The Good Russian Prisoner: Naturalizing Violence in the Caucasus Mountains." *Cultural Anthropology* 20(1): 39-67.

Greppin, John A. C. 1991. "The Survival of Ancient Anatolian and Mesopotamian Vocabulary until the Present." *Journal of Near Eastern Studies* 50(3): 203-207.

Гусейнов, М.М. Ранние стадии заселения человека в пещере Азых. Ученые записки Аз.Гос.Универ., сер. истории и философии, № 4. Баку, 1979.

Гусейнов, М.М. Древний палеолит Азербайджана. Баку, 1985.

Halliday, Fred; Maxine Molyneux. 1986. "Letter from Baku: Soviet Azerbaijan in the 1980s." *MERIP Middle East Report* No.138, Women and Politics in the Middle East (Jan-Feb.): 31-33.

Harmatta, Janos (ed.) 1998. *History of Civilizations of Central Asia, Vol. II: The Development of sedentary and nomadic civilizations: 700B.C. to A.D. 250*. Delhi: Motilal Banarsidass Publishers private Ltd.

Harris, Alice. 1991. *Indigenous Languages of the Caucasus (Anatolian and Caucasian Studies)*. Delmar, NY: Caravan Books.

Harris, David R. (ed.) 1996. *The Origins and Spread of Agriculture and Pastoralism in Eurasia*. Washington, D.C.: Smithsonian Institution Press.

Henze, Paul. B. 2001. "The Land of Many Crossroads: Turkey's Caucasian Initiatives." *Orbis* 45(1): 81-91.

Herzig, Edmund. 1999. *The New Caucasus: Armenia, Azerbaijan and Georgia*. London: Pinter.

Herzog, Christoph; Raoul Motika. 1998. "Orientalism 'Alla Turca': Late 19th/ Early 20th Century Ottoman Voyages into the Muslim 'Outback.'" *Die Welt des Islams, New Ser.*, 40(2): 139-195.

Heyat, Farideh. 2006. "Globalization and Changing Gender Norms in Azerbaijan." *International Feminist Journal of Politics* 8(3): 394-412.

Meskell, Lynn. 2002. "The Intersection of Identity and Politics in Archaeology." *Annual Review of Anthropology* 31: 279-301.

Metreveli, Roin. 1993. *Georgia*. Tbilisi: N. Solod Publishing House.

Mikasa, Takahito (ed.) 1995. *Essays on Ancient Anatolia and its Surrounding Civilizations*. Wiesbaden: Harrassowitz Verlag.

Minorsky, V. 1953. "Caucasica IV." *Bulletin of the School of Oriental and African Studies* 15(3): 504-529.

Moorey, P. R. S. 1986. "The Emergence of the Light, Horse-Drawn Chariot in the Near-East c. 2000-1500 B.C." *World Archaeology* 18(2): 196-215.

Morin, J. 2003. "Long-Term Cross-Cultural Relations and State-Formation in Transcaucasian Iberia: An Annaliste Perspective." *ANES* 41: 108-119.

Muehlfried, Florian. 2007. "Sharing the Same Blood-Culture and Cuisine in the Republic of Georgia." *Anthropology* of Food S3 (Décembre 2007) Food Chains/Les chaines alimentaires: 1-15.

Museyibli, Najaf. "Chalcolitic settlement Beyuk Kesik." Baku, 2007.

Museyibli, Najaf. "Ethnocultural Connections between the Region of the Near East and the Caucasus in the IV millennium BC". *Azerbaijan- Land between East and West*. Berlin, 2009.

Museyibli, Najaf. "Baku-Tbilisi-Ceyhan pipeline boosts Azerbaijani Archaeology. Vision of Azerbaijan summer". 1 volume. Baku, 2007.

Мусеибли, Наджаф. "Позднеэнеолитические курганы Акстафинского района". Материалы международной научной конференции "Археология, этнология, фольклористика Кавказа". Баку, 2005.

Мусеибли, Наджаф. "Курган Гасансу эпохи средней бронзы". Материалы международной научной конференции. "Археология, этнология, фольклористика Кавказа". Тбилиси, 2007.

Нариманов, И. Г. Культура древнейшего земледельческо-скотоводческого населения Азербайджана. Баку, 1987.

Nanobashvili, Mariam. 2002. "The Development of Literary Contacts between the Georgians and the Arabic Speaking Christians in Palestine from the 8th to the 10th century." *ARAM* 15: 269-274.

Narimanishvili, G. K. 1990. *Pottery of Kartli in the 5th – 1st centuries BC*. Tbilisi (in Russian).

Narimanishvili, G. 2004. "Red-Painted Pottery of the Achaemenid and Post-Achaemenid Periods from Caucasus (Iberia): Stylistic Analysis and Chronology." *ANES* 41: 120-166.

Narimanishvili, G. 2006. "Saphar-Kharaba Cemetery." *Dziebani* 17-18: 92-126.

Nasidze, I. 2001. "Alu Insertion Polymorphisms and the Genetic Structure of Human Populations from the Caucasus." *European Journal of Human Genetics* 9: 267-272.

Nazidze, I. 1998. "Genetic Evidence Concerning the Origins of South and North Ossetians." *Annals of Human Genetics* 68: 588-599.

Nasidze, Ivane; Mark Stoneking. 2001. "Mitochondrial DNA Variation and Language Replacements in the Caucasus." *Proc. R. Soc. Lond.* B 268: 1197-1206.

Nasmyth, Peter. 1998. *Georgia: In the Mountains of Poetry*. New York: St. Martin's Press.

Nichols, Deborah L.; Rosemary A. Joyce; Susan D. Gillespie. 1997. "Is Archaeology Anthropology?" *APa* 13(1): 3-13.

Nicholas, Johanna. 1997. "Modeling Ancient Population Structures and Movement in Linguistics." *Annual Reviews in Anthropology* 26: 359-84.

Norling, Nicklas; Niklas Swanstrom. 2007. "The Virtues and Potential Gains of Continental trade in Eurasia." *Asian Survey* 17(3): 351-373.

Nourzhanov, Kirill. 2006. "Caspian Oil: Geopolitical Dreams and Real Issues." *Australian Journal of International Affairs* 60(1): 59-66.

Ogden, Dennis. 1984. "Britain and Soviet Georgia, 1921-22." *Journal of Contemporary History* 23(2), Bolshevism and the Socialist Left: 245-258.

O'Laughlin, John; Vladimir Kolossov; Jean Radvanyi. 2007. "The Caucasus in a Time of Conflict, Demographic Transition, and Economic Change." *Eurasian Geography and Economics* 48(2): 135-156.

Olszewski, Devorah; Harold L. Dibble. (ed.) 1993. *The Paleolithic Prehistory of the Zagros-Taurus*. Philadelphia: University Museum of Pennsylvania.

Otte, Marcel. 2007. "The Origins of Language: Material Sources." *Diogenes* 214 49-59.

Özendes, Engin. 1987. *Photography in the Ottoman Empire, 1839-1919*. Beyoğlu-Istanbul : Haşet Kitabevi.

Ozfirat, Aynur. 2007. "A Survey of Pre-Classical Sites in Eastern Turkey. Fourth Preliminary Report: The Eastern Shore of Lake Van." *ANES* 44: 113-140.

Ozturkmen, Arzu. 2005. "Rethinking Regionalism: Memory of Change in a Turkish Black Sea Town." *East European Quarterly* 39(1): 47-62.

Palumbi, Giulio. 2003. "Red-Black Pottery: Eastern Anatolian and Transcaucasian Relationships around the Mid-Fourth Millenium BC." *ANES* 40: 80-134.

Parsons, J.W.R. 1982. "National Integration in Soviet Georgia." *Soviet Studies* 34(4): 547-569.

Pelkmans, Mathjis. 1998? "The Wounded Body: Reflections on the Demise of the 'Iron Curtain' between Georgia and Turkey." Amsterdam School of Social Science Research, unpublished manuscript: 1-13. Web link: http://condor.depaul.edu/~rrotenbe/aeer/v17n1/Pelkmans.pdf

Percovich, Luciana. 2004. "Europe's First Peoples: Female Cosmogonies before the Arrival of the IndoEuropean Peoples." *Feminist Theology* 13(1): 26-39.

Peterkin, Gail Larsen; Harvey M. Bricker; Paul Mellars (eds.) 1993. Washington DC: American Anthropological Association.

Peterson, Alexandros. 2002. "Integrating Azerbaijan, Georgia and Turkey with the West: The Case of the East-West Transport Corridor." *CSIS Commentary* Sept.10, 2007: 1-20.

Pitskhelauri, K. 1997. "Waffen der Bronzezeit aus Ost-Georgien." *Archaeologie in Eurasien*. Gottingen: 4.

Pogrebova, Maria. 2003. "The Emergence of Chariots and Riding in the South Caucasus." *Oxford Journal of Archaeology* 22(4): 397-409.

Popjanevski, Johanna; Niklas Nilsson. 2006. "National Minorities and the State in Georgia." Conference Report, Silk Road Studies Program, Johns Hopkins University, SAIS, Aug 2006: 1-32.

Preucel, Robert W.; Ian Hodder (eds.) 1996. *Contemporary Archaeology in Theory: A Reader*. Cambridge, MA: Blackwell Publishers.

Qajar, Chingiz. 2000. *The Famous Sons of Ancient and Medieval Azerbaijan*. S. N.: Azerbaijan

Qaukhchishvili, S. (ed.) 1955. *Kartlis Tskhovreba (Life of Georgia)*. Tbilisi.

Raballand, Gael; Ferhat Esen. 2007. "Economics and Politics of Cross-Border Oil Pipelines: the Case of the Caspian Basin." *AEJ* 5: 133-146.

Radvanyi, Jean; Shakhmardan S. Muduyev. 2007. "Challenges Facing the Mountain Peoples of the Caucasus." *Eurasian Geography and Economics* 48(2): 157-177.

Ramezani, Elias; Mohammad R. Marvie Mohadjer; Hans-Dieter Knapp; Hassan Ahmadi; Hans Joosten. 2008. "The late-Holocene Vegetation History of the Central Caspian (Hyrcanian) Forests of Northern Iran." *The Holocene* 18: 307-321.

Rapp, Gregory. 2002. "The Conversion of K'art'li: the Shatberdi Variant, Kek.Inst.S-1141." *Le Museon* 119(1-2): 169-229.

Reinhold, Sabine. 2003. "Traditions in Transition: Some Thought on Late Bronze Age and Early Iron Age Burial Costumes from the Northern Caucasus." *European Journal of Archaeology* 6(1): 25-54.

Roberts, Elizabeth. 1992. *Georgia, Armenia, and Azerbaijan*. Brookfield, CT: Millbrook Press.

Romer, F. E. 1979. "Gaius Caesar's Military Diplomacy in the East." *Transactions of the American Philological Association* 109: 199-214.

Rosen, Roger. 1999. *Georgia: A Sovereign Country of the Caucasus*. Sheung Wan, Hong Kong: Odyssey Publications.

Rosen, Roger. 1992. *The Georgian Republic*. Lincolnwood, IL: Passport Books.

Roustaei, K. et al. 2004. "Recent Paleolithic Surveys in Luristan." *Current Anthropology* 45(5): 692-707.

Rubinson, K. S.; A. G. Sagona. 2008. Ceramics in Transitions: *Chalcolithic through Iron Age in the Highlands of the Southern Caucasus and Anatolia*. (Ancient Near Eastern Studies Series # 27) Oakville CT: David Brown (Oxbow).

Sagona, Antoni; Claudia Sagona. 2000. "Excavations at Sos Hoyuk, 1998 to 2000: Fifth Preliminary Report." *ANES* 37: 56-127.

Salia, Kalistrat. 1983. *History of the Georgian Nation* (trans. by Katharine Vivian). Paris: N. Salia.

Sanikidze, Georgia; Edward W. Walker. 2004. "Islam and Islamic Practices in Georgia." Berkeley Program in Soviet and Post-Soviet Studies Working Paper Series: 1-42.

Scarce, Jennifer M. 1981. *Middle Eastern Costume from the Tribes and Cities of Iran and Turkey*. Edinburgh: Royal Scottish Museum.

Scheffler, Thomas. 1998. "'Fertile Crescent', 'Orient', 'Middle East': The Changing Mental Maps of Southwest Asia." *European Review of History* 10(2): 253-272.

Secretariat of the President of the Republic of Azerbaijan. 1999. *NATO and Azerbaijan: Mutually beneficial cooperation.* Ankara, Turkey: Nurol Printing House.

Şenyurt, S. Yücel; Atakan Akçay; Yalçin Kamiş. 2006. *Yüceoren: Dogu Kilikya'da bir Helenistik-Roma nekropolu. Baku-Tbilisi-Ceyhan ham petrol boru hatti projesi arkeolojik kurtarma kazilari yayinlari: 1* [A Hellenistic and Roman Necropolis in Eastern Kilikia. Baku-Tbilisi-Ceyhan crude oil pipeline project publications of archaeological salvage excavations: 1]. Ankara: Gazi University Research Center for Archaeology.

Seton, Lloyd. 1989. *Ancient Turkey: a Traveler's History of Anatolia.* Berkeley: University of California Press.

Shaw, Wendy M. K. 2003. *Possessors and Possessed: Museums, Archaeology, and the Visualization of history in the Late Ottoman Empire.* Berkeley: University of California Press.

Shnirelman, Victor. 2005. "The Politics of a Name: Between Consolidation and Separation in the Northern Caucasus." *Acta Slavica Iaponica* 23: 37-73.

Singer, Itamar. 2005. "On Luwians and Hittites." *Biblioteca Orientalis* 62(5-6): 431-452.

Sinitsyn, A.A.; J. F. Hoffecker. 2006. "Radiocarbon Dating and Chronology of the Early Upper Paleolithic at Kostenki." *Quaternary International* 152-153: 164-174.

Silogava, Valery; Kakha Shengelia. 2007. *History of Georgia: From the Ancient Times through the Rose Revolution.* Tbilisi: Caucuses University Publishing House.

Smeets, Rieks. 1994. *The Indigenous Languages of the Caucasus.* Delmar, NY: Caravan Books.

Smith, Adam T.; Karen S. Robinson. 2003. *Archaeology in the Borderlands: Investigations in Caucasia and Beyond.* Monograph 47, Cotsen Institute of Archaeology, UCLA. Los Angeles: UC Press.

Smith, Adam T. 1999. "The Making of an Urartian Landscape in Southern Transcaucasia: A Study of Political Architectonics." *American Journal of Archaeology* 103(1): 45-71.

Smith, Adam T. 2004. "The End of the Essential Archaeological Subject." *Archaeological Dialogues* 11(1): 1-20.

Smith, Adam T. 2005. "Prometheus Unbound: Southern Caucasia in Prehistory." *Journal of World Prehistory* 19: 229-279.

Soloviev, L. N. 1956. *The Significance of the Archaeological Method for the Study of the Karst of the Northern Part of the Caucasian Black Sea Coast (in Russian).* 'Karst questions in the South of the European USSR'. Kiev, AN Ukrainian: 43-75.

Souleimanov, Emil; Ondrej Ditrych. 2007. "Iran and Azerbaijan: A Contested Neighborhood." *Middle East Policy* 14(2): 101-116.

Starr, Frederick S.; Svante E. Cornell. (eds.) 2005. *The Baku-Tbilisi-Ceyhan Pipeline: Oil Window to the West.* Washington, D.C.: Central Asia-Caucasus Institute, Johns Hopkins University, School of Advanced International Studies.

Starr, Frederick S. (ed.) 2007. *The New Silk Roads: Transport and Trade in Greater Central Asia.* Washington, D.C.: Central Asia-Caucasus Institute, Johns Hopkins University, SAIS.

Stephl, Marion. 2004. "A Cluster-Based Approach to Heritage Tourism in Georgia: Sustainable Tourism as a Strategy towards Export-Diversification for an Economy in Transition." *Diplomarbeit zur Erlangung des Akademischen Grades Magistra (FH)*, FHS Kufstein Tirol, Studiengang Internationale Wirtschaft Management: 1-148.

Stirling, Paul. (ed.) 1993. *Culture and Economy: Changes in Turkish Villages*. Huntingdon: Eothen.

Summers, G.D. 1993. "Archaeological Evidence for the Achaemenid Period in Eastern Turkey." *Anatolian Studies* 43: 85-108.

Summers, G.D. 1997. "The Identification of the Iron Age City on Kerkenes Dag in Central Anatolia." *Journal of Near Eastern Studies* 56(2): 81-94.

Suny, Ronald Grigor. 2001. "Constructing Primordialisms: Old Histories for New Nations." *Journal of Modern History* 73(4): 862-896.

Suny, Ronald Grigor. 1999. "Provisional Stabilities: the Politics of Identities in Post-Soviet Eurasia." *International Security* 24(3): 139-178.

Suny, Ronald Grigor. 1994. *The Making of the Georgian Nation*. Bloomington: Indiana University Press.

Suny, Ronald Grigor. (ed.) 1983. *Transcaucasia: Nationalism and Social Change*. Ann Arbor: University of Michigan Press.

Swietochowski, Tadeusz. 1986. *Soviet Azerbaijan Today: The Problems of Group Identity*. Occasional Paper Vol. 211. Washington, D.C.: Kennan Institute for Advanced Russian Studies.

Swietochowski, Tadeusz. 1985. *Russian Azerbaijan, 1905-1920: The Shaping of National Identity in a Muslim Community*. Soviet and East European Studies, New York: Cambridge University Press.

Swietochowski, Tadeusz. 1995. *Russia and Azerbaijan: A Borderland in Transition*. New York: Columbia University Press.

Takahito, Mikasa. (ed.) 1995. *Essays on Ancient Anatolia and its Surrounding Civilizations*. Wiesbaden: Harrassowitz Verlag.

Takaoglu, Turan. 2000. "Hearth Structures in the Religious Pattern of Early Bronze Age Northeast Anatolia." *Anatolian Studies* 50: 11-16.

Taylor, Paul Michael; Christopher R. Polglase; Jared M. Koller; Troy A. Johnson. *2010. AGT: Ancient Heritage in the BTC-SCP Pipeline Corridor – Azerbaijan, Georgia, Turkey*. Washington, D.C.: Smithsonian Institution. [Online publication, at:] http://www.agt.si.edu (Web design by Jared Koller and Michael Tuttle.)

Taylor, Paul Michael; David Maynard. 2011. Excavations on the BTC Pipeline, Azerbaijan. Forthcoming in: *Internet Archaeology*.

Tillier, Anne-Marie. 2007. "The Earliest *Homo Sapiens (Sapiens)*: Biological, Chronological and Taxonomic Perspectives." *Diogenes* 214: 110-121.

Toumanoff, C. 1963. *Studies in Christian Caucasian History*. Washington, DC.

Tourovets, Alexandre. 2005. "Some Reflexions about the Relation Between the Architecture of Northwestern Iran and Urartu: the Layout of the Central Temple of Nush-I Djan." *Iranica Antiqua* 15: 359-370.

Tretiakov, P. N.; A. L. Mongait. 1961. *Contributions to the Ancient History of the U.S.S.R., with special reference to Transcaucasia*. Selections from The Outline of the History of the U.S.S.R. Russian Translation Series of the Peabody Museum of Archaeology and Ethnology, Harvard University, 1(3). [Trans. Vladimir M. Maurin; Edited by Henry Field and Paul Tolstoy]. Cambridge, MA: Peabody Museum.

Tsetskhladze, Gocha R. 1995. Review: Braund, D. Georgia in Antiquity. "A History of Colchis and Transcaucasian Iberia, 550 B. C.-A. D. 562." In *The Classical Review, New Series* 45(2): 358-360.

Tsetskhladze, Gocha R. 2005. "The Caucasus and the Iranian World in the Early Iron Age: Two Graves from Treli." *Iranica Antiqua* 15: 437-446.

Велиев, С. С.; М. М. Мансуров. К вопросу о возрасте древнейших слоев Азыхской пещерной стоянки. Доклады Академии Наук Азербайджана, 1999, № 3-4).

Voultsiadou, Eleni; Apostolos Tatolas. 2005. "The Fauna of Greece and Adjacent Areas in the Age of Homer: Evidence from the First Written Documents of Greek literature." *Journal of Biogeography* 32: 1875-1882.

Wells, R. Spencer et al. 2001. "The Eurasian Heartland: A Continental Perspective on Y-Chromosome Diversity." *Proceedings of the National Academy of Sciences of the United States of America* 98(18): 10244-10249.

Wheeler, Everett L. 1993. "Methodological Limits and the Mirage of Roman Strategy: Part I." *Journal of Military History* 57(1): 7-41.

Whittock, Michael. 1959. "Ermolov-Proconsul of the Caucasus." *Russian Review* 18(1): 53-60.

Wilson, Annalie; Terry Knott; Mehmet Binay. BP Azerbaijan SPU (Baku). 2006 *The Shah Deniz Gas Story*. Baku: BP Azerbaijan SPU.

Yakar, Jak. 2000. *Prehistoric Anatolia: The Neolithic Transformation and the Early Chalcolithic Period*. Monograph Series of the Institute of Archaeology, Tel Aviv University. Tel Aviv: University of Tel Aviv.

Yakar, Jak. 2000. *Ethnoarchaeology of Anatolia: rural Socio-Economy in the Bronze and Iron Ages*. Tel Aviv University Institute for Archaeology Monograph Series (17). Tel Aviv, Israel.

Yener, K. Aslihan. 1995. "The Archaeology of Empire in Anatolia: Comments." *Bulletin of the American Schools of Oriental Research* 299/300: 117-121.

Yener, K. Aslihan. 2000. *The Domestication of Metals: The Rise of Complex Metal Industries in Anatolia*. Boston: Brill.

Zamyatnin, S. N. 1940. "The Navalishinskaya and Akhshtyrskaya Caves on the Black Sea Coast of the Caucasus (in Russian)." *Byulleten' Komissii po Izucheniyu Chetvertichnogo* Perioda 6-7: 100-101.

Zamyatnin, S. N. 1950. "The Study of the Palaeolithic Period in the Caucasus 1936-1948 (in Russian)." *Materialy po chetvertichnomu periodu SSSR* 2: 127-139.

Zeder, Melinda A. 2000. "The Initial Domestication of Goats (Capra Hircus) in the Zagros Mountains 10,000 Years Ago." *Science* 287: 2254-2257.

Zimansky, Paul E. 1985. *Ecology and Empire--The Structure of the Urartian State*. Chicago, Ill.: Oriental Institute of the University of Chicago.

Zimansky, Paul. 1995. "Urartian Material Culture as State Assemblage: An Anomaly in the Archaeology of Empire." *Bulletin of the American Schools of Oriental Research* 299/300: 103-115.